INHALT

Gemälde: DIE URCHRISTEN | Der steinige Weg

MAJA

VORWORT

Zum 500. Mal jährt sich der Thesenanschlag Martin Luthers an die Schlosskirche von Wittenberg. Am 31. Oktober 1517 hatte er, im Bestreben, eine Diskussion anzustoßen, seine berühmten 95 Thesen veröffentlicht. Sein Ziel war es, Missstände in der Kirche seiner Zeit abzuschaffen und eine Erneuerung (lat. reformatio) einzuleiten – schließlich hatte sich die Kirche schon sehr weit vom Vorbild der ursprünglichen neutestamentlichen Gemeinde Jesu Christi entfernt. Die Rückbesinnung auf die Wurzeln des christlichen Glaubens führte im 16. Jahrhundert zur protestantischen Reformation und zur Gründung evangelischer – das heißt dem Evangelium verpflichteter – Kirchen.

Als *Kirche der Siebenten-Tags-Adventisten* wollen wir als eine Glaubensgemeinschaft wahrgenommen werden, die wesentliche Errungenschaften der Reformation anerkennt, schätzt und weiterführt. Wir verstehen uns als Erben der Reformation, da auch für uns die Bibel die Grundlage für Glauben und Lebensgestaltung ist. Es ist uns ein Anliegen, Wege aufzuzeigen, wie die Reformation auch heute noch persönlich erlebt werden kann. Sie beginnt immer und überall mit einer Neubesinnung auf den Ursprung des biblischen Glaubens und persönlichem Kennenlernen des Wortes Gottes.

In dieser Sonderedition *„Die großen Fünf – Wie die Reformation die Welt veränderte“* wird ein Abriss über die Schlüsselereignisse der Reformation gegeben. Der Inhalt ist dem Werk *„Vom Schatten zum Licht“* entnommen, das schon über 100 Jahre nach der englischen Originalausgabe von 1911 vorliegt. Die Autorin spricht eine klare Sprache, die an manchen Stellen zwar nicht dem heutigen ökumenischen Empfinden entspricht, inhaltlich jedoch die Position der Reformatoren wiedergibt.

Gemälde: DIE WENDE | Martin Luther – Aus Angst wird Freude

Ein besonderer Dank geht an den österreichischen Künstler *Maximilian Jantscher,* der mit seinen Gemälden besondere Momente der Reformation in beeindruckender Weise festgehalten hat. Zudem wird im Anhang auf einen vertiefenden Fernkurs zum Thema *„Ad fontes – Die Reformatoren"* hingewiesen, der über das *Hope Bibelstudien-Institut* kostenfrei bezogen werden kann.

Ich wünsche uns allen, dass wir uns in Wort und Bild von diesem Buch berühren lassen und danach fragen, was der reformatorische Gedanke mit uns ganz persönlich zu tun hat und wie dieses Ereignis unser Leben und unseren Alltag prägen kann. Reformation beginnt letztendlich im eigenen Herzen.

Marc André Naumann

KAPITEL 1

JOHN WYCLIFF

Vor der Reformation gab es zeitweise nur sehr wenige Exemplare der Bibel, aber Gott ließ es nicht zu, dass sein Wort zerstört wurde. Seine Wahrheiten sollten nicht für immer verborgen bleiben. Leicht hätte er die Worte des Lebens zugänglich machen können, so wie er Gefängnistüren öffnen und eiserne Tore entriegeln konnte, um seine Diener zu befreien. In verschiedenen Ländern Europas bewegte der Geist Gottes Menschen, nach der Wahrheit wie nach verlorenen Schätzen zu suchen. Sie wurden vom Heiligen Geist geführt und erforschten die heiligen Schriften mit großem Eifer. Sie waren bereit, das Licht anzunehmen, koste es, was es wolle. Obwohl sie nicht alles klar erkannten, waren sie doch in der Lage, viele begrabene Wahrheiten zu erkennen. Als himmlische Boten gingen sie voran, zerbrachen die Ketten des Irrtums und des Aberglaubens und forderten die Menschen auf, die so lange versklavt waren, aufzustehen und ihr Recht auf Freiheit zu fordern.

WYCLIFFS STUDIENZEIT

Außer bei den Waldensern war das Wort Gottes jahrhundertelang lediglich in Sprachen vorhanden, die nur von Gelehrten verstanden wurden. Doch nun war die Zeit gekommen, dass die Bibel übersetzt und

Gemälde: DER MORGENSTERN | John Wycliff und die Reformation in England

den Menschen in den verschiedenen Ländern in ihrer Muttersprache in die Hand gegeben werden sollte. Für die Welt war die Zeit der finsteren Mitternacht vorbei. Die Stunden der Dunkelheit gingen zu Ende, und in vielen Ländern erschienen die Zeichen des kommenden Morgens.

Im 14. Jahrhundert ging in England der »Morgenstern der Reformation« auf. John Wycliff war der Vorbote der Reformation, nicht nur für England allein, sondern für die ganze Christenheit. Der große Protest gegen Rom, den er einleiten durfte, sollte nie mehr zum Schweigen gebracht werden. Dieser Einspruch eröffnete den Kampf, der einzelne Menschen, Kirchen und ganze Völker in die Freiheit führen sollte.

Wycliff erhielt eine freiheitliche Ausbildung. Für ihn war die Furcht des Herrn der Anfang aller Weisheit. An der Universität wurde er bekannt für seinen tiefen Glauben, seine außergewöhnlichen Talente und seine solide Gelehrsamkeit. In seinem Wissensdrang wollte er jeden Fachbereich kennen lernen. Er erhielt eine Ausbildung in scholastischer Philosophie, in Kirchenrecht und im Zivilrecht, besonders in dem seines eigenen Landes. In seinem späteren Wirken wurde der Wert seiner früheren Studien offenkundig. Seine gründliche Kenntnis der spekulativen Philosophie seiner Zeit befähigte ihn, deren Irrtümer aufzudecken, und durch seine Studien des Zivil- und Kirchenrechts war er in der Lage, sich an der großen Auseinandersetzung um bürgerliche und religiöse Freiheit zu beteiligen. Er konnte mit den Waffen, die er aus dem Wort Gottes erhielt, genauso gut umgehen wie mit dem Wissen, das er sich bei seinen Studien angeeignet hatte, und er verstand die Taktik der Gelehrten. Seine geistige Überlegenheit und sein gründliches Wissen erwarben ihm den Respekt von Freund und Feind. Seine Anhänger vermerkten mit Genugtuung, dass ihr Hauptvertreter zu den führenden Köpfen der Nation gehörte, und seine Gegner wurden zurückgehalten, der Sache der Reform Verachtung entgegenzubringen, da sie ihrem Verfechter weder Unwissenheit noch Schwäche vorwerfen konnten.

Noch während seines Studiums an der Universität fing er an, die Heilige Schrift zu erforschen. In dieser Zeit, als die Bibel ausschließlich in den alten Sprachen existierte, konnten sich nur Gelehrte einen

Weg zu den Quellen der Wahrheit bahnen, das gemeine Volk blieb davon ausgeschlossen. Damit war der Weg für Wycliffs späteres Werk als Reformator gebahnt. Gelehrte hatten das Wort Gottes studiert und die darin offenbarte große Wahrheit von der freien göttlichen Gnade gefunden. Durch ihren Unterricht verbreiteten sie die Erkenntnis der Wahrheit und führten andere dazu, sich dem lebendigen Wort Gottes zuzuwenden.

Als Wycliff sich mit der Heiligen Schrift beschäftigte, tat er dies mit der gleichen Gründlichkeit, die es ihm ermöglicht hatte, das Schulwissen zu meistern. Sein großes Verlangen nach tieferer Erkenntnis hatten bisher weder seine scholastischen Studien noch die Lehren der Kirche befriedigen können. Im Wort Gottes fand er endlich das, was er bisher vergeblich gesucht hatte. Hier erkannte er den offenbarten Erlösungsplan und sah, dass Christus der alleinige Fürsprecher des Menschen ist. Nun beschloss er, sich dem Dienst Christi zu widmen und die biblischen Wahrheiten zu verkünden, die er gefunden hatte.

GEGEN IRRTÜMER UND MÜSSIGGANG

Wie die späteren Reformatoren sah Wycliff nicht voraus, wohin ihn sein Wirken führen würde. Er suchte nicht vorsätzlich die Auseinandersetzung mit Rom. Doch die Hingabe an die Wahrheit musste ihn unweigerlich mit dem Irrtum in Konflikt bringen. Je deutlicher er die Irrlehren des Papsttums erkannte, desto bestimmter verkündete er die Lehren der Bibel. Er erkannte, dass Rom das Wort Gottes aufgegeben und mit menschlichen Traditionen vertauscht hatte. Furchtlos warf er der Priesterschaft vor, die Heilige Schrift unterdrückt zu haben, und er verlangte, dass die Bibel dem Volk zurückgegeben und ihre Autorität in der Kirche wiederhergestellt werde. Er war ein fähiger, aufrichtiger Lehrer und ein redegewandter Prediger. Sein tägliches Leben war eine Demonstration der Wahrheiten, die er predigte. Seine Schriftkenntnis, sein scharfsinniger Verstand, die Reinheit seines Lebens, sein unbeugsamer Mut und seine Rechtschaffenheit brachten ihm Achtung und Vertrauen ein. Viele Menschen waren mit ihrem früheren Glauben unzufrieden, als sie die Bosheit sahen, die in der römischen Kirche vorherrschte, und sie begrüßten mit unverhohlener Freude die Wahrheiten, die Wycliff ans Licht brachte. Doch die päpstlichen Würdenträger schäumten vor Wut, als sie erkannten, dass dieser Reformator einen größeren Einfluss gewann als sie selbst.

Wycliff spürte messerscharf jeden Irrtum auf und wies furchtlos auf Missbräuche hin, die von Rom gebilligt wurden. Als Schlosskaplan des Königs wehrte er sich standhaft gegen die päpstlichen Forderungen nach Tributzahlungen der englischen Krone an den Papst und zeigte, dass der Anspruch päpstlicher Autorität über weltliche Herrscher eine willkürliche Anmaßung war, die sowohl der Vernunft als auch der Offenbarung widersprach. Die Ansprüche des Papstes hatten große Entrüstung hervorgerufen, und Wycliffs Lehren übten einen bedeutenden Einfluss auf die führenden Köpfe der Nation aus. König und Adel vereinten sich im Widerstand gegen den Anspruch des Papstes auf weltliche Autorität und verweigerten die Tributzahlungen. Dies war ein wirkungsvoller Schlag gegen die Vormachtstellung des Papstes in England.

Ein anderes Übel, gegen das der Reformator einen langen und entschlossenen Kampf führte, war der Orden der Bettelmönche. In England wimmelte es von solchen Mönchen, was eine schädliche Auswirkung auf das Ansehen und den Wohlstand der Nation hatte. Wirtschaft, Wissenschaft und Volksmoral spürten den lähmenden Einfluss. Der Müßiggang und die Bettelei der Mönche waren nicht nur eine schwere Last für die Geldmittel des Volkes, sie brachten auch die nützliche Arbeit in Verruf. Die Jugend wurde demoralisiert und verdorben. Der Einfluss der Bettelmönche veranlasste viele junge Menschen dazu, in ein Kloster einzutreten und sich dem Mönchsleben zu weihen. Das geschah nicht nur ohne die Einwilligung der Eltern, sondern auch oft ohne ihr Wissen und gegen ihre Anweisung. Einer der frühen Kirchenväter, der den Anspruch des Mönchtums höher einstufte als Liebe zu den Eltern und Kindespflicht, hatte erklärt: »Sollte auch dein Vater weinend und jammernd vor deiner Tür liegen und deine Mutter dir den Leib zeigen, der dich getragen, und die Brüste, die dich gesäugt haben, so siehe zu, dass du sie mit Füßen trittst und dich unverwandt zu Christus begibst.« Durch dies »gräulich ungeheuer Ding«, wie Luther es später nannte, »das mehr nach einem Wolf und einem Tyrannen riecht als nach einem Christen und Mann«, wurden die Herzen der Kinder zur Auflehnung gegen ihre Eltern gebracht (LEA, XXV, 337 [396]; Op. lat., X, 269). So setzten die Päpste wie einst die Pharisäer die Gebote Gottes durch ihre Satzungen außer Kraft. In vielen Heimen sah es trostlos aus und Eltern wurden ihrer Söhne und Töchter beraubt.

Sogar Studenten wurden durch die falschen Darstellungen der Mönche betrogen und dazu verführt, in ihre Orden einzutreten. Viele bereuten später diesen Schritt, als sie einsahen, dass sie ihr eigenes Leben vertan und ihren Eltern Kummer bereitet hatten. Doch wenn sie einmal in diese Fänge geraten waren, war es für sie unmöglich, ihre Freiheit zurückzugewinnen. Aus Furcht vor dem Einfluss der Mönche lehnten es daher viele Eltern ab, ihre Kinder auf die Universitäten zu schicken. Dies hatte in den großen Bildungszentren einen erheblichen Rückgang der Studentenzahl zur Folge. Das Bildungsniveau sank und Unwissenheit nahm überhand.

GEGEN VOLKSVERFÜHRUNG

Der Papst hatte diesen Mönchen das Recht erteilt, Beichten abzunehmen und Absolution zu erteilen. Dies wurde ein Grundübel. Von Geldgier getrieben, gewährten die Mönche Absolution, sodass sich alle möglichen Verbrecher an sie wandten, was zur Folge hatte, dass die schlimmsten Laster schnell zunahmen. Die Armen und Kranken wurden sich selbst überlassen, während Gaben, die für diese bestimmt waren, den Mönchen zufielen. Unter Drohungen forderten sie von Menschen Almosen und bezichtigten jene, die ihrem Orden Geschenke verweigerten, der Gottlosigkeit. Ungeachtet ihres Bekenntnisses zur Armut nahm der Reichtum der Mönche ständig zu. Ihre prunkvollen Gebäude und die reich gedeckten Tische machten die wachsende Armut des

Volkes umso augenfälliger. Während sie selbst in Saus und Braus lebten, sandten sie an ihrer Stelle Ungebildete in die Welt, um die Leute mit großartigen Geschichten, Legenden und Späßen zu unterhalten, und machten sie noch vollständiger zu Betrogenen der Mönche. Trotzdem hatten die Mönche die abergläubische Masse weiterhin fest im Griff und gaukelten ihr vor, dass die Anerkennung der Oberhoheit des Papstes, die Anbetung der Heiligen und die Abgabe von Almosen an die Mönche die Summe aller religiösen Pflichten sei und dies ausreiche, um sich einen Platz im Himmel zu sichern.

Gelehrte und gläubige Männer hatten vergeblich versucht, diese Mönchsorden zu reformieren. Doch Wycliff hatte eine klarere Sicht der Dinge. Er packte das Übel an der Wurzel und erklärte, dass das System falsch sei und beseitigt werden müsse. Nun kamen Fragen und Kontroversen auf. Als die Mönche durchs Land zogen und ihren päpstlichen Ablass verkauften, begannen viele daran zu zweifeln, ob Vergebung tatsächlich mit Geld erworben werden könne. Sie fragten sich, ob sie Vergebung nicht direkt bei Gott suchen sollten, statt beim Pontifex in Rom. Nicht wenige waren über die Habsucht der Mönche beunruhigt, deren Raffgier nie befriedigt zu sein schien. »Mönche und Priester fressen uns auf wie ein Geschwür«, sagten sie. »Gott muss uns befreien, sonst geht das Volk zugrunde.« (DAGR, XVII, 7) Um ihre Gier zu vertuschen, behaupteten diese Bettelmönche, sie würden nur dem Beispiel Christi folgen, denn auch Jesus und seine Jünger hätten von Almosen des Volkes gelebt. Diese Behauptung schadete ihrer Sache, denn nun griffen viele zur Bibel und erforschten selbst die Wahrheit, was man sich in Rom am wenigsten gewünscht hatte. Dadurch wurden die Menschen zur Quelle der Wahrheit geführt, die man in Rom stets zu verbergen versuchte.

Wycliff verfasste nun kurze Abhandlungen gegen die Bettelmönche, nicht weil er die Auseinandersetzung mit ihnen suchte, sondern weil er die Aufmerksamkeit des Volkes auf die Bibel und ihren Urheber lenken wollte. Er erklärte, dass der Papst nicht mehr Macht zur Sündenvergebung und Exkommunikation besitze als irgendein Priester und kein

Mensch wirklich exkommuniziert werden könne, es sei denn, er habe die Verurteilung Gottes auf sich gezogen. Wycliff hätte dieses gewaltige Gebilde geistlicher und weltlicher Macht nicht wirkungsvoller stürzen können, das sich der Papst eingerichtet hatte und in welchem Leib und Seele von Millionen gefangen gehalten wurden.

Ein zweites Mal wurde Wycliff berufen, die Rechte der englischen Krone gegen die Übergriffe Roms zu verteidigen, und da er ein königlicher Gesandter war, verbrachte er zwei Jahre in den Niederlanden, wo er mit den Unterhändlern des Papstes verhandelte. Hier kam er mit kirchlichen Würdenträgern aus Frankreich, Italien und Spanien zusammen und hatte Gelegenheit, hinter die Kulissen zu schauen und Einblicke in viele Dinge zu gewinnen, die ihm in England verborgen geblieben wären. Er erfuhr vieles, was er in seinen späteren Werken als Argument anführen konnte. Bei diesen päpstlichen Gesandten erkannte er den wahren Charakter und die echten Ziele der Hierarchie. Er kehrte nach England zurück, um seine früheren Lehren offener und mit größerem Eifer zu wiederholen, und erklärte, dass Gier, Stolz und Betrug die Götter Roms seien.

In einer seiner Broschüren schrieb er über den Papst und seine Geldeintreiber: »Sie entziehen unserm Land den Lebensunterhalt der Armen und viele tausend Mark pro Jahr von des Königs Geld für Sakramente und geistliche Dinge, was die verfluchte Ketzerei der Simonie* ist, und sie bewegen das Christentum dazu, diese Häresie gutzuheißen und zu unterstützen. Und gewiss, auch wenn unser Reich einen ungeheuren Berg von Gold hätte und keiner davon nähme, als nur dieser hochmütige, weltliche Priesterkassierer, würde im Laufe der Zeit dieser Berg verzehrt werden, denn er zieht alles Geld aus unserem Lande und gibt nichts dafür zurück als Gottes Fluch für seine Simonie.« (LHW, III, 37; NKG, 6, 2, § 2)

* Simonie ist der Erwerb geistlicher Ämter durch Kauf. Sie war im Mittelalter weit verbreitet. Die Bezeichnung wird von Simon Magus abgeleitet (Apostelgeschichte 8,18), der von den Aposteln die Gabe des Heiligen Geistes mit Geld erwerben wollte.

REAKTIONEN AUS ROM – KIRCHENSPALTUNG

Bald nach der Rückkehr nach England wurde Wycliff vom König zum Pfarrer von Lutterworth ernannt. Dies war ein Beleg dafür, dass der König zumindest an seiner offenen Rede keinen Anstoß nahm. Wycliffs Einfluss wirkte sich auf das tägliche Leben am Hof aus und prägte den Glauben des ganzen Volkes.

Das päpstliche Gewitter donnerte bald auf ihn herab. Drei Bullen wurden nach England abgesandt: eine an die Universität, eine an den König und eine an die Prälaten. Alle drei verlangten unverzügliche und entscheidende Maßnahmen, um den Lehrer der Ketzerei zum Schweigen zu bringen (NKG, VI, 1, § 8). Schon bevor die Bulle eintraf, hatten die Bischöfe in ihrem Eifer Wycliff zu einem Verhör geladen. Allerdings begleiteten ihn zwei der mächtigsten Fürsten des Reiches zum Gerichtshof, und das Volk, welches das Gebäude umringte und hineindrängte, vermochte die Richter dermaßen einzuschüchtern, dass das Verfahren einstweilen vertagt wurde. Wycliff konnte in Frieden seines Weges gehen. Bald darauf starb Edward III., den die Prälaten in seinen alten Tagen gegen den Reformator aufstacheln wollten, und Wycliffs einstiger Beschützer Johann von Gent, der Herzog von Lancaster, Prinzregent des Nachfolgerkönigs Richard II., wurde Landesherr.

Doch mit dem Eintreffen der päpstlichen Bullen unterlag ganz England dem unbedingten Befehl, den Ketzer festzunehmen und gefangen zu legen. Diese Maßnahmen waren die Vorboten des Scheiterhaufens. Es galt als sicher, dass Wycliff bald der Rache Roms zum Opfer fallen würde. Derjenige aber, der vor Zeiten zu seinem Knecht [Abraham] gesagt hatte: »Fürchte dich nicht. ... Ich bin dein Schild« (1. Mose 15,1), streckte auch hier seine Hand aus, um seinen Diener zu schützen. Der Tod ereilte nicht den Reformator, sondern den, der seine Vernichtung angeordnet hatte. Papst Gregor XI. starb, und die Geistlichen, die Wycliff verhören wollten, kehrten heim.

Gottes Vorsehung lenkte die Ereignisse auch weiterhin und verschaffte der Ausbreitung der Reformation neue Möglichkeiten. Auf

Gregors XI. Tod folgten zwei rivalisierende Päpste. Zwei Mächte, die beide behaupteten, unfehlbar zu sein, stritten gegeneinander und verlangten Gehorsam. Jeder rief die Gläubigen auf, ihn im Kampf gegen den anderen zu unterstützen, und bekräftigte seine Forderung mit schrecklichen Bannflüchen gegen den anderen und mit Verheißungen von himmlischen Belohnungen für seine Unterstützer. Dieses Vorgehen schwächte die Macht des Papsttums sehr. Die streitenden Parteien taten alles, um die andere Seite anzugreifen, und Wycliff hatte eine Zeit lang Ruhe. Bannflüche und gegenseitige Beschuldigungen flogen von einem Papst zum anderen, und Ströme von Blut flossen, um die widerstreitenden Behauptungen zu bekräftigen. Verbrechen und Skandale überschwemmten die Kirche. Währenddessen lebte der Reformator zurückgezogen in seiner Pfarrei in Lutterworth und arbeitete fleißig daran, die Aufmerksamkeit der Menschen von den streitenden Päpsten weg auf Jesus, den Fürsten des Friedens, hinzulenken.

Die Kirchenspaltung mit all ihrem Streit und Sittenverfall, den sie auslöste, bereitete der Reformation den Weg, damit das Volk das wahre Gesicht des Papsttums erkennen konnte. In einem Heft, das Wycliff unter dem Titel »On the Schism of the Popes« [Über das Schisma der Päpste] veröffentlichte, rief er das Volk auf zu überlegen, ob die beiden Päpste nicht vielleicht die Wahrheit sagten, wenn sie sich gegenseitig als Antichrist verdammten. »Gott«, sagte er, »wollte nicht mehr, dass der Feind nur in einem einzigen Priester herrschte, sondern ... machte eine Spaltung zwischen zweien, sodass Menschen in Christi Namen leichter beide sollten überwinden können.« (VLW, II, 6; vgl. NKG, 6, 2, § 28) Wie sein Meister predigte Wycliff das Evangelium den Armen. Er gab sich nicht damit zufrieden, das Licht nur in den bescheidenen Heimen seines Kirchensprengels in Lutterworth scheinen zu lassen, er beschloss, es in alle Teile Englands zu tragen. Um dies zu erreichen, rief er eine Gruppe einfacher, frommer Prediger zusammen, die die Wahrheit liebten und nichts lieber wollten, als sie zu verbreiten. Diese Männer gingen überall hin und predigten auf Marktplätzen, auf den Straßen großer Städte und auf Landstraßen. Sie besuchten Alte, Kranke, Arme und verkündigten ihnen die frohe Botschaft von der Gnade Gottes.

Als Professor der Theologie in Oxford predigte Wycliff das Wort Gottes in den Hörsälen der Universität. Er stellte den Studenten die Wahrheit in seinen Vorlesungen so treu dar, dass sie ihn den »Doktor des Evangeliums« nannten. Doch die größte Aufgabe seines Lebens sollte die Übersetzung der Heiligen Schrift ins Englische werden. In seinem Buch »On the Truth and Meaning of Scripture« [Über die Wahrheit und Bedeutung der Schrift] äußerte er seine Absicht, die Bibel zu übersetzen, damit jedermann in England die wunderbaren Werke Gottes in seiner Muttersprache lesen könnte.

DIE BIBEL IN ENGLISCHER SPRACHE

Plötzlich jedoch konnte Wycliff seine Arbeit nicht mehr fortsetzen. Obwohl er noch keine sechzig Jahre alt war, hatten doch rastlose Arbeit, anhaltendes Studium und unaufhörliche Angriffe seiner Feinde an seinen Kräften gezehrt und ließen ihn früh altern. Er wurde von einer gefährlichen Krankheit befallen. Diese Kunde bereitete den Mönchen große Freude. Nun dachten sie, er würde das Übel bitter bereuen, das er der Kirche zugefügt hatte, und sie eilten in seine Kammer, um ihm die Beichte abzunehmen. Vertreter der vier Mönchsorden und vier Beamte der Stadt standen um den Mann herum, von dem sie glaubten, er liege im Sterben. »Der Tod sitzt Euch auf den Lippen«, sagten sie, »denkt bußfertig an Eure Sünden, und nehmt in unserer Gegenwart alles zurück, was Ihr gegen uns gesagt habt.« Der Reformator hörte schweigend zu. Dann bat er seinen Diener, ihn im Bett aufzurichten, während er seinen Blick unablässig auf jene richtete, die ihn umringten und auf seinen Widerruf warteten. Mit der festen, starken Stimme, die sie schon so oft hatte erzittern lassen, sagte er zu ihnen: »Ich werde nicht sterben, sondern leben und die Gräuel der Mönche erzählen.« (DAGR, XVII, 7; vgl. NKG, VI, 2, § 10; SCK, XXXIV, 525) Erstaunt und verlegen eilten die Mönche aus dem Zimmer.

Wycliffs Worte erfüllten sich. Er blieb am Leben und legte seinen Landsleuten die mächtige Waffe gegen Rom in die Hand – die Bibel, die himmlische Botschaft, um das Volk zu befreien, zu erleuchten und zu evangelisieren. Bei der Ausführung dieser Aufgabe galt es, viele und große Hindernisse zu überwinden. Wycliff litt an körperlicher Schwäche und wusste, dass ihm nur noch wenige Jahre der Arbeit zur Verfügung standen. Er sah den Widerstand, dem er entgegentreten musste. Doch ermutigt durch die Verheißungen in Gottes Wort ging er unerschrocken ans Werk. Durch besondere Vorsehung wurde er von Gott im vollen Besitz seiner geistigen Kräfte erhalten, reich an Erfahrung für sein größtes Werk. Während die ganze Christenheit in Aufruhr war, machte sich der Reformator in seiner Pfarrei in Lutterworth an seine selbsterwählte Aufgabe, unbehelligt vom Sturm, der draußen wütete.

Am Ende war das Werk vollbracht: die erste englische Übersetzung der Heiligen Schrift, die es gab. Nun war das Wort Gottes für England geöffnet. Der Reformator fürchtete sich jetzt weder vor dem Gefängnis noch dem Scheiterhaufen. Er hatte dem englischen Volk ein Licht in die Hand gegeben, das nie verlöschen sollte. Dadurch, dass er seinen Landsleuten die Bibel gab, hatte er mehr getan, um sie von den Fesseln der Unwissenheit und des Lasters zu befreien und mehr, um sein Land zu befreien und zu erheben, als je durch die glänzendsten Siege auf dem Schlachtfeld errungen wurde.

Da die Buchdruckerkunst noch unbekannt war, konnten Abschriften der Bibel nur durch langsame und mühevolle Arbeit hergestellt werden. Das Interesse an diesem Buch aber war so groß, dass viele sich bereitwillig an die Arbeit machten, um es zu vervielfältigen, und nur mit Mühe konnten die Abschreiber die Nachfrage befriedigen. Einige wohlhabende Käufer bestellten die ganze Bibel, andere kauften nur Teile davon. Oft schlossen sich mehrere Familien zusammen, um ein Exemplar zu finanzieren. So fand Wycliffs Bibel schnell Zugang in die Heime des Volkes.

Der Appell an den menschlichen Verstand rüttelte das Volk aus seiner untätigen Unterwerfung unter päpstliche Dogmen wach. Wycliff vertrat bereits jetzt die Unterscheidungslehren des Protestantismus: Die

Erlösung allein durch den Glauben an Christus und die Unfehlbarkeit der Heiligen Schrift. Die Prediger, die er ausgesandt hatte, verbreiteten die Bibel zusammen mit den Schriften des Reformators mit solchem Erfolg, dass der neue Glaube von nahezu der Hälfte des englischen Volkes angenommen wurde.

ZWISCHEN WELTLICHEM REICH UND KIRCHLICHER MACHT

Die Herausgabe der Heiligen Schrift bestürzte die kirchlichen Behörden. Sie hatten es nun mit einem mächtigeren Gegner als Wycliff zu tun, einem Gegner, gegen den ihre Waffen nicht viel ausrichten konnten. Zu jener Zeit gab es in England kein Bibelverbot, denn die Heilige Schrift war nie zuvor in der Sprache des Volkes veröffentlicht worden. Solche Gesetze wurden später erlassen und sehr streng durchgesetzt. Trotz der Bemühungen der Priester gab es in der Zwischenzeit Gelegenheit zur Verbreitung des Wortes Gottes.

Die päpstlichen Führer versuchten erneut, die Stimme des Reformators zum Schweigen zu bringen. Er musste sich nacheinander vor drei Gerichten verantworten, doch nichts brachte den gewünschten Erfolg. Zuerst bezeichnete eine bischöfliche Synode seine Schriften als Ketzerei, und da Wycliffs Feinde den jungen König Richard II. auf ihre Seite ziehen konnten, erwirkten sie einen königlichen Erlass, der allen mit Gefängnis drohte, die sich zu den geächteten Lehren bekannten.

Wycliff wandte sich daraufhin an das Parlament. Er klagte die Priesterschaft furchtlos vor der Nationalversammlung an und verlangte eine Reform der ungeheuren Missbräuche, die von der Kirche gebilligt wurden. Überzeugend schilderte er die Übergriffe und die Bestechlichkeit des päpstlichen Stuhls. Seine Feinde gerieten in Verwirrung. Freunde und Anhänger Wycliffs waren schon zum Nachgeben gezwungen worden, und es wurde bereits fest damit gerechnet, dass sich auch der alternde Reformator, allein und ohne Freunde, der vereinten Macht von Krone und Mitra beugen würde. Stattdessen mussten sich die

Anhänger des Papsttums geschlagen geben. Das Parlament wurde durch die flammenden Appelle Wycliffs dazu gebracht, das Edikt des Königs aufzuheben, und so erlangte der Reformator wieder seine Freiheit.

Ein drittes Mal wurde er vor Gericht gebracht, und diesmal vor den höchsten kirchlichen Gerichtshof des Reichs. Hier zeigte man für Ketzer kein Mitleid. Hier sollte Rom endlich triumphieren und das Werk des Reformators zum Stillstand bringen. So dachten die Anhänger des Papsttums. Wenn sie ihr Ziel nicht erreichen sollten, würden sie Wycliff zwingen, seinen Lehren abzuschwören, oder er würde vom Gerichtshof den Flammen übergeben.

Doch Wycliff widerrief nicht. Er wollte nicht heucheln. Furchtlos verteidigte er seine Lehren und widerlegte die Anklagen seiner Verfolger. Sich selbst, seine Stellung und den Anlass dieser Versammlung vergessend, stellte er seine Zuhörer vor das göttliche Gericht. Er wog ihre Spitzfindigkeiten und Täuschungen mit der Waage der ewigen Wahrheit. Im Gerichtssaal spürte man die Macht des Heiligen Geistes. Die Zuhörer wurden von Gott in Bann gehalten, und offenbar hatte keiner die Kraft, den Raum zu verlassen. Die Worte des Reformators schienen wie Pfeile aus dem Köcher des Herrn die Herzen der Anwesenden zu durchbohren. Mit überzeugender Autorität schleuderte er die Anklage der Ketzerei auf sie selbst zurück. Weshalb, fragte er, hatten sie sich erkühnt, ihre Irrtümer zu verbreiten? Um des Gewinns willen, um mit der Gnade Gottes Handel zu treiben?

»Mit wem, glaubt ihr«, sagte er zum Schluss, »dass ihr streitet? Mit einem alten Mann am Rande des Grabes? Nein! Mit der Wahrheit, die stärker ist als ihr und die euch überwinden wird.« (WHP, II, 13) Mit diesen Worten verließ er die Versammlung, und keiner seiner Feinde versuchte, ihn daran zu hindern.

RECHTFERTIGUNGSSCHREIBEN AN DEN PAPST

Wycliff hatte seine Aufgabe nahezu erfüllt. Nachdem er die Wahrheit so lange hoch gehalten hatte, sollte dieser Dienst bald von ihm genommen werden. Doch noch ein letztes Mal würde er für das Evangelium Zeugnis ablegen. Mitten im mächtigen Reich des Irrtums sollte die Wahrheit verkündigt werden. Wycliff wurde vor den päpstlichen Gerichtshof in Rom zitiert, der schon so oft das Blut von Heiligen vergossen hatte. Er war nicht blind gegenüber der ihm drohenden Gefahr, doch er hätte dieser Aufforderung Folge geleistet, wenn ihn nicht ein Schlaganfall daran gehindert hätte, diese Reise anzutreten. Da er nicht direkt in Rom vorsprechen konnte, entschied er sich, seine Ansichten schriftlich kundzutun. Von seiner Pfarrei aus schrieb der Reformator dem Papst einen Brief, der zwar im Ton respektvoll und voll christlichen Geistes war, aber den Prunk und den Stolz des päpstlichen Stuhls scharf verurteilte.

»Wahrlich, ich freue mich«, schrieb er, »jedem den Glauben, den ich vertrete, kundzutun und besonders dem Bischof von Rom, von dem ich annehme, dass er aufrichtig und gerecht ist und bereitwilligst meinen dargelegten Glauben bestätigen oder berichtigen wird, falls er irrtümlich ist.

Erstens setze ich voraus, dass das Evangelium Christi die Gesamtheit des Gesetzes Gottes ist. ... Ich halte dafür, dass der Bischof von Rom, da er der Stellvertreter Christi auf Erden ist, vor allen anderen Menschen am meisten an das Gesetz des Evangeliums gebunden ist. Denn die Größe der Jünger bestand nicht in weltlicher Würde oder Ehre, sondern in der engen und genauen Nachfolge des Lebens und Wandels Christi. ... Christus war während der Zeit seiner Pilgerschaft hier ein sehr armer Mann, der alle weltliche Herrschaft und Ehre verwarf. ...

Kein aufrichtiger Mensch sollte dem Papst noch irgendeinem Heiligen nachfolgen, außer in den Punkten, in denen dieser Jesus Christus nachgefolgt ist; denn Petrus und die Söhne des Zebedäus sündigten, als sie nach weltlicher Ehre verlangten, die der Nachfolge Christi zuwider ist, und deshalb sollte man ihnen in jenen Irrtümern nicht nachfolgen. ...

Der Papst sollte allen irdischen Besitz und alle Herrschaft der weltlichen Macht überlassen und dazu seine ganze Geistlichkeit nachdrücklich bewegen und ermahnen, denn so tat es Christus, besonders durch seine Apostel. Habe ich in irgendeinem dieser Punkte geirrt, so will ich mich demütigst der Zurechtweisung unterwerfen, selbst durch den Tod, falls die Notwendigkeit es so verlangt. Und falls ich nach meinem eigenen Wunsch und Willen wirken könnte, so würde ich vor dem Bischof von Rom persönlich erscheinen. Doch der Herr hat mich auf eine andere Art heimgesucht und mich gelehrt, Gott mehr zu gehorchen als den Menschen.«

Am Ende schrieb er: »Deshalb beten wir zu Gott, dass er unseren Papst Urban VI. anregen wolle, wie er angefangen hat, dass er mit seinem Klerus dem Herrn Jesus Christus in Leben und Sitten nachfolge und dass sie das Volk wirksam lehren und dass dieses ihnen wiederum in denselben Stücken getreulich nachfolge.« (FAM, III, 49 und 50; vgl. NKG, 6, § 29)

Wycliff stellte also den Papst und seine Kardinäle der Sanftmut und Demut Christi gegenüber. Nicht nur ihnen, sondern der ganzen Christenheit wurde so der Gegensatz zwischen ihnen und dem Meister gezeigt, dessen Stellvertreter sie sein wollten.

DER GRUNDSTEIN DER REFORMATION IST GELEGT

Wycliff erwartete nichts anderes, als dass ihm seine Treue das Leben kosten würde. König, Papst und Bischöfe hatten sich vereint, um ihn zu vernichten, und es schien sicher, dass er spätestens in ein paar Monaten auf dem Scheiterhaufen enden würde. Aber sein Mut blieb unerschütterlich. »Man braucht nicht weit zu gehen, um die Palme der Märtyrer zu suchen«, sagte er, »verkündigt nur das Wort Christi stolzen Bischöfen, und das Märtyrertum wird nicht ausbleiben! Was? Leben und schweigen? Niemals! Mag das Schwert, das über meinem Haupte hängt, getrost fallen! Ich erwarte den Streich!« (DAGR, XVII, 8)

Doch Gottes Fürsorge schützte seinen Diener immer noch. Der Mann, der ein Leben lang die Wahrheit unter täglicher Lebensgefahr mutig verteidigt hatte, durfte dem Hass seiner Feinde nicht zum Opfer fallen. Nie versuchte Wycliff, sich selbst zu schützen, doch der Herr war sein

Beschützer, und jetzt, als sich seine Feinde ihrer Beute sicher glaubten, nahm ihn die Hand Gottes aus ihrer Reichweite. In seiner Kirche in Lutterworth teilte er gerade das Abendmahl aus, als er einen Schlaganfall erlitt und kurz darauf starb.

Wycliff wurde von Gott in sein Amt berufen. Er hatte ihm das Wort der Wahrheit in den Mund gelegt und beschützte ihn, damit es unter das Volk kommen konnte. Sein Leben wurde bewahrt und sein Wirken so lange ausgedehnt, bis ein Fundament für das große Werk der Reformation gelegt war.

Wycliff kam aus der finsteren Zeit des Mittelalters. Niemand war ihm vorausgegangen, der ihm für sein reformatorisches Wirken ein Vorbild hätte sein können. Wie Johannes der Täufer war er der Botschafter einer neuen Zeit. Das Lehrgebäude der Wahrheit, welches er verkündete, besaß eine solche Einheit und Vollständigkeit, dass es von den Reformatoren, die ihm folgten, nicht übertroffen wurde. Etliche erreichten seinen Erkenntnisstand selbst hundert Jahre später noch nicht. Sein Fundament war so breit und so tief, so fest und so sicher gebaut, dass es durch diejenigen, die nach ihm kamen, nicht mehr neu gelegt werden musste.

Die große Bewegung, die von Wycliff ins Leben gerufen wurde, die das Gewissen und den Verstand ganzer Völker befreite, welche so lange an die Vorherrschaft Roms gebunden waren, hatte ihren Ursprung in der Bibel. Hier sprudelte die Quelle dieses Segensstroms, der seit dem 14. Jahrhundert wie Lebenswasser durch die Zeiten fließt. Wycliff nahm die Heilige Schrift in unbedingtem Glauben als inspirierten Willen Gottes und als ausreichende Regel für die Praxis an. Er war gelehrt worden, die römische Kirche als göttliche und unfehlbare Autorität zu respektieren und die Lehren und Gebräuche einer tausendjährigen Tradition kritiklos anzunehmen. Doch er wandte sich von all dem ab, um auf Gottes heiliges Wort zu hören. Er forderte das Volk auf, dieser Autorität zu folgen. Statt auf die Kirche durch die Stimme des Papstes zu hören, erklärte er, dass die einzig wahre Autorität in der Stimme Gottes liege, die durch sein Wort spricht. Und er lehrte nicht nur, dass die Bibel die vollkommene

Offenbarung des Willens Gottes ist, sondern dass nur der Heilige Geist sie auslegen könne und jeder Einzelne durch Erforschen ihrer Lehre seine Pflichten selbst erkennen müsse. So lenkte er die Aufmerksamkeit der Menschen vom Papst und der römischen Kirche weg auf das Wort Gottes.

Wycliff war einer der größten Reformatoren. Die Größe und Klarheit seines Verstandes, seine Festigkeit in der Wahrheit und sein Mut zu deren Verteidigung erreichten wenige, die nach ihm kamen. Reines Leben, unermüdlicher Fleiß beim Studium und bei der Arbeit, Unbestechlichkeit, Rechtschaffenheit, eine christusähnliche Liebe und Treue in der Ausübung seines Dienstes waren die Hauptmerkmale dieses ersten Reformators. Er verkündigte dies in einer Zeit geistlicher Finsternis und moralischer Verdorbenheit.

Der Charakter Wycliffs ist ein Zeugnis für die erziehende und umwandelnde Macht der Heiligen Schrift. Die Bibel machte ihn zu dem, was er war. Wer die großen Wahrheiten der biblischen Offenbarung erforscht, erfrischt und belebt all seine Fähigkeiten. Er erweitert und schärft seinen Verstand und entwickelt sein Urteilsvermögen. Das Studium der Heiligen Schrift veredelt wie kein anderes jeden Gedanken, jedes Gefühl und jede Sehnsucht. Es festigt den Willen, verleiht Geduld und Mut, stärkt den Geist, läutert den Charakter und heiligt den ganzen Menschen. Ein aufrichtiges, ehrfürchtiges Studium der Schrift, das die Gedanken des Studierenden in direkten Kontakt mit den Gedanken des Unendlichen bringt, würde der Welt Menschen mit klarerem und aktiverem Intellekt sowie edleren Grundsätzen schenken, als es je durch die beste Ausbildung in menschlicher Philosophie möglich wäre. »Wenn dein Wort offenbar wird«, sagt der Psalmist, »so erfreut es und macht klug.« (Psalm 119,130)

NACH WYCLIFFS TOD

Die Lehren Wycliffs wurden eine gewisse Zeit verbreitet. Wycliffs Nachfolger, Wycliffiten oder Lollarden genannt, durchzogen nicht nur England, sondern brachten die Kenntnis des Evangeliums auch in ferne

Länder. Nachdem ihr Lehrer von ihnen gegangen war, arbeiteten die Prediger mit noch größerem Eifer als zuvor, und große Volksmengen strömten zu ihnen und hörten ihre Lehren. Einige Angehörige des Adels und sogar die Gemahlin des Königs waren unter den Bekehrten. An vielen Orten gab es eine merkliche Verbesserung im Verhalten der Leute, und die Bilder der römischen Kirche, die zu falscher Anbetung geführt hatten, wurden aus den Kirchen entfernt. Doch bald brach ein erbarmungsloser Sturm der Verfolgung über jene Menschen herein, die es gewagt hatten, sich durch die Lehren der Bibel leiten zu lassen. Die englischen Könige, die eifrig darauf bedacht waren, mit der Unterstützung Roms ihre Macht zu sichern, zögerten nicht, die Reformatoren zu opfern. Zum ersten Mal in der Geschichte Englands wurde der Scheiterhaufen für die Jünger des Evangeliums aufgeschichtet. Der Märtyrertod zog ins Land. Verfechter der Wahrheit, geächtet und gefoltert, konnten ihre Schreie nur zu den Ohren des Herrn Zebaoth aufsteigen lassen. Obwohl sie als Kirchenfeinde und Landesverräter verfolgt wurden, predigten sie weiterhin an geheimen Orten. Sie fanden – wo immer möglich – Schutz in den bescheidenen Häusern der Armen, ja sie mussten sich sogar oft in Gruben und Höhlen verbergen.

Trotz dieser Verfolgungswut hielt ein ruhiger, gottesfürchtiger und geduldiger Protest gegen den vorherrschenden Sittenverfall auf religiösem Gebiet noch jahrhundertelang an. Die Christen dieser frühen Zeit kannten die Wahrheit nur teilweise, doch sie hatten gelernt, Gottes Wort zu lieben und ihm zu gehorchen, und sie litten geduldig um seinetwillen. Wie die Jünger in apostolischer Zeit, gaben viele ihren irdischen Besitz für die Sache Christi her. Diejenigen, die in ihren eigenen vier Wänden bleiben durften, gewährten den vertriebenen Brüdern Unterschlupf, und wenn auch sie selbst vertrieben wurden, nahmen sie gern das Los der Verstoßenen auf sich. Es ist allerdings auch wahr, dass Tausende, die durch die Wut ihrer Verfolger eingeschüchtert wurden, ihre Freiheit durch Aufgabe ihres Glaubens erkauften und in Bußkleidern die Gefängnisse verließen, um so ihren Widerruf zu bezeugen. Die Zahl derer hingegen, die als Adlige wie auch Geringe in ihren Kerkerzellen, den »Lollardtürmen«, furchtlos die Wahrheit bezeugten, war nicht gering. Inmitten von Folter und Flammen waren sie froh, dass sie würdig erachtet wurden, »die Gemeinschaft der Leiden Christi« kennen zu lernen.

Es war den Anhängern des Papsttums nicht gelungen, Wycliff bei Lebzeiten den Willen der Kirche aufzuzwingen, und ihr Hass konnte nicht befriedigt werden, solange sein Leib friedlich im Grabe ruhte. Durch einen Erlass des Konzils zu Konstanz mehr als vierzig Jahre nach seinem Tod wurden seine Gebeine ausgegraben, öffentlich verbrannt und die Asche in einen nahe gelegenen Bach gestreut. »Dieser Bach«, sagt ein alter Schriftsteller, »hat seine Asche in den Avon getragen, vom Avon in den Severn, vom Severn in die Meerengen und in den großen Ozean. Und so ist Wycliffs Asche ein Sinnbild seiner Lehre, die jetzt über die ganze Welt verbreitet ist.« (FCHB, 4, 2, 54) Von der Bedeutung ihrer arglistigen Tat begriffen seine Feinde wenig.

Die Schriften Wycliffs haben Jan Hus aus Böhmen dazu veranlasst, die vielen Irrtümer der römischen Kirche abzulegen und seinerseits ein Erneuerungswerk zu beginnen. So wurde in diesen beiden Ländern, die weit auseinander liegen, die Saat der Wahrheit ausgestreut. Von Böhmen aus verbreitete sich das Werk in andere Länder. Die Gedanken der Menschen wurden auf das lange vergessene Wort Gottes gerichtet. Eine göttliche Hand bereitete den Weg für die große Reformation vor.

MAJA

KAPITEL 2

HUS UND HIERONYMUS

Das Evangelium fand schon im 9. Jahrhundert Eingang in Böhmen. Die Bibel war übersetzt worden und der Gottesdienst fand in der Sprache des Volkes statt. Als jedoch die Macht des Papstes zunahm, verlor das Wort Gottes mehr und mehr an Bedeutung. Gregor VII., der es sich zur Aufgabe gemacht hatte, den Stolz der Könige zu demütigen, war nicht weniger darauf bedacht, das Volk zu unterjochen. Dementsprechend verfasste er eine Bulle, die den Gottesdienst in böhmischer Sprache verbot. Der Papst erklärte, dass »es dem Allmächtigen gefällt, wenn der Gottesdienst in einer unbekannten Sprache durchgeführt wird, und dass viele Übel und Ketzereien durch Missachtung dieser Regel entstanden sind« (WHP, III, 1; vgl. CHB, 16). So beschloss Rom, das Licht des Wortes auszulöschen und das Volk in Finsternis zu halten. Aber der Himmel hatte andere Vorkehrungen getroffen, um die Gemeinde am Leben zu erhalten. Viele Waldenser und Albigenser, die aus ihrer Heimat in Frankreich und Italien vertrieben worden waren, siedelten sich in Böhmen an. Auch wenn sie es nicht wagten, öffentlich zu lehren, arbeiteten sie doch eifrig im Verborgenen. Auf diese Weise blieb der wahre Glaube über Jahrhunderte erhalten.

Schon vor Hus gab es Männer in Böhmen, die sich gegen den Sittenverfall in der Kirche und die Lasterhaftigkeit des Volks stellten. Ihre Arbeit erregte breites Interesse. Die Befürchtungen der Hierarchie

Gemälde: DER MÄRTYRER | Jan Hus und die Reformation in Böhmen

wurden geweckt und eine Verfolgung der Jünger des Evangeliums begann. Sie führten ihre Gottesdienste in den Wäldern und Bergen durch, wurden von Soldaten gejagt, und viele wurden umgebracht. Später beschlossen die Kirchenführer, dass jeder, der vom römischen Gottesdienst abwich, verbrannt werden sollte. Doch während Christen ihr Leben ließen, blickten sie nach vorn auf den Sieg ihrer Sache. Einer von denen, die »lehrten, dass das Heil nur durch den Glauben an den gekreuzigten Erlöser zu finden« sei, erklärte im Sterben: »Jetzt hat die Wut der Feinde die Oberhand über uns, aber es wird nicht für immer sein; es wird sich einer aus dem gemeinen Volk erheben, ohne Schwert und Autorität, gegen den sie nichts vermögen werden.« (WHP, III, 1; vgl. CHB, 20) Luthers Zeit war noch weit entfernt; aber schon trat einer auf, dessen Zeugnis gegen Rom die Völker bewegen sollte.

AKADEMIKER UND PRIESTER

Jan Hus war von bescheidener Herkunft und wurde durch den Tod seines Vaters Halbwaise. Seine gläubige Mutter, die Bildung und Gottesfurcht als eines der wertvollsten Besitztümer ansah, wollte ihrem Sohn dieses Erbe weitergeben. Hus besuchte erst eine örtliche Schule und begab sich dann auf die Universität nach Prag, wo er einen Freiplatz erhielt. Seine Mutter begleitete ihn dorthin, eine arme Witwe, die ihrem Sohn keine irdischen Güter geben konnte; doch als sie sich der großen Stadt näherten, kniete sie neben dem vaterlosen Sohn nieder und erbat für ihn den Segen des himmlischen Vaters. Die Mutter konnte nicht ahnen, wie umfassend ihr Gebet erhört werden sollte.

An der Universität zeichnete sich Hus bald durch unermüdlichen Fleiß und große Fortschritte im Studium aus, während sein tadelloser Lebenswandel und sein liebenswürdiges, gewinnendes Benehmen ihm allgemeine Achtung einbrachte. Er war ein aufrichtiger Anhänger der römischen Kirche und ein ernster Sucher nach den geistlichen Segnungen, die diese versprach. Anlässlich einer Jubiläumsfeier ging er zur Beichte, spendete seine letzten Geldstücke als Opfer und schloss sich der Prozession an, damit er die versprochene Absolution bekäme. Nach Beendigung seiner Studien wurde er Priester, bald darauf kirchlicher Würdenträger mit Zugang zum königlichen Hof. Er wurde auch Professor und später Rektor der Universität, an der er studiert hatte. Nach wenigen Jahren war der bescheidene ehemalige Stipendiat der Stolz seines Vaterlandes, und sein Name wurde in ganz Europa berühmt.

Sein Erneuerungswerk begann aber auf einem anderen Gebiet. Mehrere Jahre nach seiner Priesterweihe wurde er zum Prediger der Bethlehemskapelle ernannt. Der Stifter dieser Kapelle hatte seinerzeit durchgesetzt, dass die Schrift in der Volkssprache gepredigt werden sollte, was für ihn einen hohen Stellenwert hatte. Trotz der Gegnerschaft Roms wurde diese Gepflogenheit in Böhmen nie ganz abgeschafft. Doch man kannte die Bibel kaum und in allen Bevölkerungsschichten hatten sich große Laster verbreitet. Schonungslos trat Hus diesen Missständen entgegen und benutzte das Wort Gottes, um daraus die Grundsätze der Wahrheit und Reinheit zu betonen, die er ihnen einprägte.

Hieronymus, ein Bürger Prags und späterer Weggefährte von Jan Hus, brachte bei seiner Rückkehr aus England Wycliffs Schriften mit. Die Königin von England, eine böhmische Prinzessin, hatte sich zu Wycliffs Lehren bekannt, und durch ihren Einfluss wurden die Werke des Reformators auch in ihrem Heimatland weit verbreitet. Hus las diese Werke mit großem Interesse. Er hielt den Verfasser für einen aufrichtigen Christen und war geneigt, die Reformen, die Wycliff vertrat, mit Wohlwollen zu betrachten. Hus wusste noch nicht, dass er zu diesem Zeitpunkt schon einen Pfad betreten hatte, der ihn weit weg von Rom führen sollte.

Um diese Zeit trafen zwei Fremde aus England in Prag ein, Gelehrte, die das Licht empfangen hatten und gekommen waren, um es in fremden Ländern zu verbreiten. Sie begannen mit einem offenen Angriff auf die Vorrangstellung des Papstes und wurden bald von den Behörden zum Schweigen gebracht. Sie ließen sich jedoch von ihrem Vorhaben nicht abhalten und nahmen Zuflucht zu anderen Mitteln. Da sie nicht nur Prediger sondern auch Künstler waren, stellten sie von nun an diese Gaben in den Dienst der Verkündigung. An einem öffentlichen Ort zeichneten sie zwei Bilder. Eines stellte den Einzug Jesu nach Jerusalem dar, »auf einem Füllen, dem Jungen eines Lasttiers« reitend (Matthäus 21,5), gefolgt von seinen Jüngern in abgetragenen Kleidern und barfuß. Das andere Bild zeigte eine päpstliche Prozession, wobei der Papst in reiche Gewänder gekleidet und mit dreifacher Krone auf dem Haupt auf einem großen, prächtig geschmückten Pferd saß, mit Trompetern vorweg und gefolgt von Kardinälen und Prälaten in blendender Pracht.

Dies war eine Predigt, die die Aufmerksamkeit aller Bevölkerungsschichten erregte. Ganze Scharen kamen, um sich die Bilder anzusehen. Alle erkannten die Moral in diesen Zeichnungen. Viele waren vom Gegensatz zwischen der Barmherzigkeit und Demut Christi und dem arroganten Prunk des Papstes, des angeblichen Dieners Christi, beeindruckt. In Prag entstand daraufhin eine große Aufregung, und nach einer gewissen Zeit fanden die Fremdlinge, dass es für ihre Sicherheit besser wäre, wenn sie weiterzögen. Die Lehre aber, die sie verkündigt hatten, wurde nicht vergessen. Die Bilder machten einen großen Eindruck auf Hus und hatten zur Folge, dass er die Bibel und Wycliffs Schriften gründlicher studierte. Obwohl er auch jetzt noch nicht bereit war, alle Reformen Wycliffs anzunehmen, sah er doch den wahren Charakter des Papsttums deutlicher, und mit noch größerem Eifer brandmarkte er nun den Stolz, den Ehrgeiz und die Korruption der Hierarchie.

ERSTE AUSEINANDERSETZUNGEN

Von Böhmen breitete sich das Licht nach Deutschland aus, denn Unruhen an der Prager Universität verursachten, dass Hunderte deutscher Studenten die Stadt verließen. Viele von ihnen hatten von Hus ihre ersten Kenntnisse über die Bibel erhalten, und nach ihrer Rückkehr verbreiteten sie das Evangelium in ihrer Heimat.

Die Nachricht von den Geschehnissen in Prag erreichte Rom, und Hus wurde umgehend aufgefordert, vor dem Papst zu erscheinen. Dieser Aufforderung nachzukommen, hätte für ihn den sicheren Tod bedeutet. Der König und die Königin von Böhmen, die Universität, Mitglieder des Adels und Regierungsbeamte richteten vereint eine Bittschrift an den Pontifex, es Hus doch zu gestatten, in Prag zu bleiben und einem Bevollmächtigten aus Rom Rede und Antwort zu stehen (PGB, III, 6, 257f). Statt dieser Bitte nachzukommen, trieb der Papst das Verfahren voran und erwirkte die Verurteilung von Hus. Dann verhängte er über die Stadt Prag den Kirchenbann.

Wenn in jener Zeit ein solches Urteil ausgesprochen wurde, rief dies große Bestürzung hervor. Die Rituale, die es begleiteten, waren so angelegt, dass sie ein Volk erzittern ließen, das den Papst ja als den Stellvertreter Gottes betrachtete, der die Schlüssel von Himmel und Hölle in den Händen hielt und die Macht besaß, weltliche sowie geistliche Urteile zu fällen. Man glaubte, dass die Tore des Himmels für jene Gebiete verschlossen waren, die mit dem Bann belegt wurden, und dass ihre Toten von den Orten der Glückseligkeit ausgeschlossen blieben, bis es dem Papst gefiel, den Bann aufzuheben. Als Zeichen dieser schrecklichen Katastrophe wurden alle Gottesdienste in Prag eingestellt und die Kirchen geschlossen. Hochzeiten wurden auf Friedhöfen abgehalten, die Toten, denen das Begräbnis auf geweihtem Grund untersagt wurde, verscharrte man ohne Feierlichkeit in Gräben oder auf Feldern. Solche Maßnahmen übten einen enormen Einfluss auf die Wahrnehmung der Menschen aus. Damit versuchte Rom ihre Gewissen zu kontrollieren.

In Prag herrschte Aufruhr. Von vielen wurde Hus als Urheber dieser Katastrophe angesehen, und sie verlangten, dass Hus der Rache Roms übergeben werde. Um den Sturm zu stillen, zog sich der Reformator für eine Zeit in sein Heimatdorf zurück (nach Ziegenburg [Kozi Hrádek] in Südböhmen). An seine Freunde, die er in Prag zurückgelassen hatte, schrieb er: »Wisset also, dass ich, durch diese Ermahnung Christi und sein Beispiel geleitet, mich zurückgezogen habe, um nicht den Bösen Gelegenheit zur ewigen Verdammnis und den Guten zur Bedrückung und Betrübnis Ursache zu werden; und dann auch, damit nicht die gottlosen Priester die Predigt des göttlichen Wortes ganz verhindern sollten. Ich bin also nicht deshalb gewichen, damit durch mich die göttliche Wahrheit verleugnet würde, für welche ich mit Gottes Beistand zu sterben hoffe.« (BRAR, I, 94/95; vgl. NKG, VI, 2, § 47) Hus gab seine

Tätigkeit nicht auf, sondern bereiste das umliegende Land und predigte zur lernbegierigen Menge. Die Maßnahmen, die der Papst zur Unterdrückung des Evangeliums ergriff, trugen dazu bei, dass das Evangelium weiter verbreitet wurde. »Denn wir vermögen nichts wider die Wahrheit, sondern nur etwas für die Wahrheit.« (2. Korinther 13,8)

»Hus muss in dieser Zeit seiner Laufbahn einen schmerzlichen Kampf durchgemacht haben. Obgleich die Kirche ihn durch ihren Blitzstrahl zu überwältigen suchte, hatte er sich nicht von ihrer Autorität losgesagt. Die römische Kirche war für ihn nach wie vor die Braut Christi und der Papst Gottes Stellvertreter und Statthalter. Hus wollte gegen den Missbrauch der Autorität und nicht gegen das Prinzip selbst kämpfen. Dadurch entstand ein fürchterlicher Kampf zwischen den Überzeugungen seiner Vernunft und den Forderungen seines Gewissens. Wenn die Autorität gerecht und unfehlbar war, wie er doch glaubte, wie kam es, dass er sich gezwungen fühlte, ihr ungehorsam zu sein? Gehorchen hieß für ihn sündigen; aber warum sollte der Gehorsam gegen eine unfehlbare Kirche solche Folgen haben? Das war ein Problem, das er nicht lösen konnte; das war der Zweifel, der ihn von Stunde zu Stunde quälte. Die naheliegendste Antwort fand er schließlich in der Überlegung, dass sich hier wiederholte, was sich bereits in den Tagen Christi abgespielt hatte; die Priester der Kirche waren korrupt geworden und missbrauchten ihre rechtmäßige Autorität zur Erlangung unrechtmäßiger Ziele. Dies veranlasste ihn dazu, als Leitlinie für sich selbst das Prinzip zu übernehmen, dass nur die bewusst verstandenen Weisungen der Heiligen Schrift unser Gewissen bestimmen sollten. Dies empfahl er in seinen Predigten den Zuhörern. Damit vertrat er den Grundsatz, dass es eine unfehlbare Wegweisung nur bei Gott gibt, der in der Bibel spricht, und nicht in der Kirche, die durch die Priesterschaft redet. (WHP, III, 2)

POLARISIERUNG

Als sich die Nervosität in Prag etwas gelegt hatte, kehrte Hus zu seiner Bethlehemskapelle zurück und predigte das Wort mit noch größerem

Mut und Eifer. Seine Feinde waren aktiv und mächtig, aber die Königin und viele Adlige waren seine Freunde, und große Teile des Volkes hielten zu ihm. Viele, die seine reinen und erhabenen Lehren und sein heiliges Leben mit den erniedrigenden Dogmen der Priesterschaft verglichen und sich Gedanken über deren Habsucht und Prasserei machten, erachteten es als eine Ehre, auf seiner Seite zu stehen.

Bisher war Hus auf sich allein gestellt. Nun aber schloss sich Hieronymus seinem Erneuerungswerk an, der während seines Aufenthalts in England die Lehren Wycliffs angenommen hatte. Von nun an arbeiteten die beiden zusammen und sollten auch im Tod nicht getrennt werden. Hieronymus war scharfsinnig, redegewandt und gebildet. Diese Fähigkeiten, durch welche man die Gunst der Öffentlichkeit gewinnen kann, besaß er in besonderem Maß. Aber in jenen Eigenschaften, die wahre Charakterstärke ausmachen, war Hus die bedeutendere Persönlichkeit. Sein besonnenes Urteil zügelte den ungestümen Hieronymus. Dieser respektierte Hus und nahm seinen Rat demütig an. Dank dieser Zusammenarbeit konnte sich die Erneuerung schneller ausbreiten.

Gott schenkte diesen auserwählten Männern viel Licht und offenbarte ihnen viele Irrtümer Roms. Doch sie empfingen nicht das ganze Licht, das der Welt gegeben werden sollte. Durch diese seine Diener begann Gott die Menschen aus der Dunkelheit der mittelalterlichen Papstkirche herauszuführen. Doch viele und mächtige Hindernisse mussten noch überwunden werden. Gott führte seine Diener Schritt für Schritt, immer nur so weit, wie sie es fassen konnten. Sie waren nicht imstande, alles Licht auf einmal zu empfangen. So wie die volle Mittagssonne jene blendet, die lange im Dunkeln waren, so hätten sich auch diese Erneuerer abgewendet, wenn ihnen die ganze Erkenntnis auf einmal offenbart worden wäre. Deshalb schenkte Gott ihnen nach und nach das Licht, so wie es auch das Volk aufzunehmen vermochte. In den folgenden Jahrhunderten sollten weitere gewissenhafte Arbeiter folgen, um die Menschen auf dem Weg der Erneuerung weiter voranzubringen.

Die Kirchenspaltung dauerte weiter an. Drei Päpste stritten mittlerweile um die Vorherrschaft, und ihre Kämpfe bescherten der

Christenheit Verbrechen und Aufruhr. Die Päpste begnügten sich nicht mehr damit, Bannflüche gegeneinander zu schleudern. Sie griffen jetzt zu den weltlichen Waffen und begannen Kriegswerkzeug zu kaufen und Söldner einzustellen. Dazu musste natürlich Geld beschafft werden. Zu diesem Zweck wurden Gaben, Ämter und Segnungen der Kirche zum Verkauf angeboten. Die Priester folgten dem Beispiel ihrer Vorgesetzten und griffen ebenfalls zu Simonie und Militärgewalt, um ihre Gegner zu demütigen und die eigene Macht zu stärken. Hus wurde täglich mutiger in seinen Angriffen auf die Gräuel, die im Namen der Religion geduldet wurden, und das Volk klagte die römischen Führer offen an, die Ursache dieses Elends zu sein, das über die Christenheit hereinbrach.

Wieder schien die Stadt Prag an der Schwelle einer blutigen Auseinandersetzung zu stehen. Wie in früherer Zeit wurde ein Diener Gottes angeklagt, »Israel ins Unglück« zu stürzen (1. Könige 18,17). Über die Stadt wurde wieder der Bann verhängt, und Hus zog sich in sein Heimatdorf zurück. So endete die Zeit, in der er von seiner geliebten Bethlehemskapelle aus die Wahrheit bezeugen konnte. Er sollte auf einer größeren Bühne auftreten und zur ganzen Christenheit sprechen, bevor er sein Leben zum Zeugnis der Wahrheit niederlegen musste.

EINLADUNG UND REISE NACH KONSTANZ

Um die Missstände und Wirren zu beseitigen, die ganz Europa verunsicherten, fand ein allgemeines Konzil in Konstanz statt. Dieses Konzil wurde auf Wunsch Kaiser Sigismunds durch einen der drei einander bekämpfenden Päpste, Papst Johannes XXIII., einberufen. Der Wunsch nach diesem Konzil war Papst Johannes, dessen Charakter und Praktiken eine Untersuchung schlecht vertrugen, alles andere als willkommen, auch nicht den Prälaten mit ihrer ebenso lockeren Moral, wie sie bei den Kirchenmännern jener Zeit vorherrschte. Er wagte es aber nicht, dem Willen Sigismunds zu widersprechen.

Das Hauptanliegen dieses Konzils war die Beseitigung der Kirchenspaltung und die Ausrottung der Ketzerei. Aus diesem Grund wurden auch die anderen beiden Gegenpäpste sowie der führende Vertreter der neuen Ansichten, Jan Hus, aufgefordert zu erscheinen. Die Ersteren erschienen aus Gründen der eigenen Sicherheit nicht persönlich, sondern ließen sich durch ihre Gesandten vertreten. Papst Johannes, der das Konzil einberufen hatte, kam mit vielen bösen Ahnungen und dem Verdacht dorthin, dass es das heimliche Ziel des Kaisers wäre, ihn abzusetzen. Außerdem befürchtete er, für seine Unsittlichkeiten, mit denen er den Heiligen Stuhl beschmutzte, sowie für die Verbrechen, durch die er an die Macht gekommen war, zur Rechenschaft gezogen zu werden. Doch er hielt mit großem Gepränge Einzug in die Stadt Konstanz. Er war von kirchlichen Würdenträgern höchsten Ranges umgeben, und ihm folgte ein Zug von Höflingen. Der gesamte Klerus, die Würdenträger der Stadt und eine riesige Volksmenge strömten ihm entgegen, um ihn willkommen zu heißen. Vier hohe Beamte hielten einen goldenen Baldachin über ihn. Vor ihm wurde die Hostie getragen, und die reichen Gewänder der Kardinäle und des Adels ergaben ein eindrucksvolles Bild.

Unterdessen näherte sich ein anderer Reisender der Stadt Konstanz. Hus war sich der Gefahren bewusst, die ihm drohten. Er verabschiedete sich von seinen Freunden, als ob er sie nie wiedersehen würde, und machte sich mit dem Gefühl auf den Weg, dass dieser ihn auf den Scheiterhaufen bringen würde. Trotz des freien Geleits, das ihm vom böhmischen König und ebenso von Kaiser Sigismund während der Reise zugesichert worden war, bereitete er sich auf einen möglichen Tod vor.

An seine Freunde in Prag schrieb er: »Meine Brüder ... ich gehe von hier mit einem freien Geleit vom König, um meinen zahllosen und moralischen Feinden zu begegnen. ... Ich verlasse mich völlig auf den allmächtigen Gott, meinen Heiland; ich vertraue darauf, dass er auf unsere innigen Gebete hören wird und mir seine Klugheit und Weisheit in meinen Mund legt, damit ich ihnen widerstehen kann, und dass er mir seinen Heiligen Geist verleiht, mich in der Wahrheit zu stärken, damit ich mit Mut den Versuchungen, dem Kerker und wenn notwendig, einem grausamen Tod entgegen gehen kann. Jesus Christus litt um seiner Auserwählten willen, und sollten wir daher überrascht sein, dass er uns ein Beispiel gab, für ihn und unser Heil alles zu erdulden? Er ist Gott und wir seine Geschöpfe; er ist der Herr und wir sind seine Diener; er ist der Herr der Welt und wir sind verachtenswerte Sterbliche – und doch litt er! Warum sollten wir nicht auch leiden, besonders wenn Leid zu unserer Reinigung dient? Daher, meine Geliebten, wenn mein Tod zu seiner Herrlichkeit beitragen sollte, betet darum, dass er schnell kommen möge, und dass der Herr mich befähigt, all meiner Not mit Standhaftigkeit zu begegnen. Doch wenn es besser sein sollte, dass ich zu euch zurückkehre, so wollen wir Gott darum bitten, dass ich ohne Befleckung wieder zu euch komme; das heißt, dass ich nicht einen Tüttel der Wahrheit des Evangeliums unterdrücke, damit ich meinen Brüdern ein ausgezeichnetes Beispiel liefere, dem sie nachfolgen können. Vielleicht werdet ihr mein Antlitz in Prag nie wieder sehen; wenn es aber der Wille des allmächtigen Gottes ist, mich euch wiederzugeben, lasst uns mit festerem Herzen in der Erkenntnis und Liebe zu seinem Gesetz vorangehen.« (BRAR, I, 150; vgl. NKG, 6, 2, 2, § 49)

In einem anderen Brief an einen Priester, der ein Jünger des Evangeliums geworden war, sprach Hus in tiefer Demut über seine Irrtümer und klagte sich selbst an, dass er »Freude daran hatte, reiche Gewänder zu tragen und Stunden mit leichtfertigen Dingen zu vergeuden.« Er fügte die rührenden Ermahnungen hinzu: »Möge die Herrlichkeit Gottes und das Heil von Seelen dein Gemüt in Anspruch nehmen und nicht der Besitz von Pfründen und Vermögen. Hüte dich davor, dein Haus mehr zu schmücken als deine Seele, und verwende deine größte Sorgfalt auf das geistliche Gebäude. Sei liebevoll und demütig zu den Armen und verschwende deine Habe nicht durch Festgelage. Solltest du dein Leben nicht bessern und dich vom Überflüssigen fernhalten, so fürchte ich, wirst du hart gezüchtigt werden, wie ich selbst. ... Du kennst meine Lehre, denn du hast meine Unterweisungen von deiner Kindheit an empfangen, deshalb ist es unnütz für mich, dir weiter zu schreiben. Aber ich beschwöre dich bei der Gnade unseres Herrn, mich nicht in irgendeiner der Eitelkeiten nachzuahmen, in welche du mich fallen sahest.« Auf dem Umschlag des Briefes fügte er hinzu: »Ich beschwöre dich, mein Freund, diese Siegel nicht zu brechen, bis du die Gewissheit erlangt hast, dass ich tot bin.« (BRAR, I, 163/164)

Auf seiner Reise bemerkte Hus überall Anzeichen der Verbreitung seiner Lehren und das Wohlwollen, mit der sie aufgenommen wurden. Die Menschen kamen zusammen, um ihn zu sehen, und in einigen Städten begleiteten ihn Beamte durch die Straßen.

SCHAUPROZESSE

Nach seiner Ankunft in Konstanz wurde Hus völlige Freiheit gewährt. Zu dem Geleitschutz des Kaisers kam noch eine persönliche Zusicherung des Schutzes durch den Papst. Doch entgegen wiederholter feierlicher Zusicherungen wurde er bald danach auf Befehl des Papstes und der Kardinäle verhaftet und in einen dumpfen Kerker geworfen. Später wurde er in eine befestigte Burg (Burg Gottlieben) am südlichen Ufer des Rheins gebracht und dort gefangen gehalten. Der Papst hatte aus seiner Niedertracht keinen Nutzen gezogen, denn bald danach wurde er in demselben Gefängnis eingekerkert (BRAR, 269). Vor dem Konzil wurde er zuvor der gemeinsten Verbrechen schuldig gesprochen; neben Mord, Simonie und Ehebruch für »Sünden, die unpassend sind, genannt zu werden.« So erklärte es das Konzil selbst, und schließlich wurde ihm die Tiara abgenommen und er selbst ins Gefängnis geworfen (HK, VII, 139-141). Die Gegenpäpste setzte man ebenfalls ab und ein neuer Papst wurde gewählt.

Obwohl sich der Papst größerer Verbrechen schuldig gemacht hatte, als Hus den Priestern je zur Last legte und wofür er eine Reform verlangte, machte sich dasselbe Konzil, das den Papst abgesetzt hatte, nun daran, den Reformator zu vernichten. Die Gefangennahme von Hus rief in Böhmen große Entrüstung hervor. Mächtige Adlige richteten scharfe Proteste wegen dieses Frevels an das Konzil (HGHB, 179 ff). Der Kaiser, der der Verletzung des freien Geleits nur zögernd zustimmte, widersetzte sich dem Vorgehen gegen Hus. Doch die Feinde des Reformators waren bösartig und entschieden. Sie nutzten die Vorurteile des Kaisers, seine Befürchtungen und seinen Eifer für die Kirche. Sie brachten umfangreiche

Argumente vor, um zu beweisen, dass niemand »Ketzern Vertrauen schenken sollte, noch Leuten, die unter dem Verdacht der Ketzerei stünden, selbst wenn sie mit einem Sicherheitsgeleit von Kaisern und Königen versehen seien« (PGB, VI, 327 ff.). Damit setzten sie sich durch.

Durch Krankheit und Einkerkerung geschwächt – die schlechte und feuchte Luft in seinem Kerker brachte ihm ein Fieber, das ihn fast das Leben kostete – wurde Hus endlich vor das Konzil geführt. In Ketten gefesselt stand er vor dem Kaiser, der ihm sein Ehrenwort gegeben hatte, für seinen Schutz zu sorgen. Während seines langen Verhörs vertrat er standhaft die Wahrheit, und in Gegenwart der Würdenträger von Staat und Kirche protestierte er ernst und gewissenhaft gegen den Sittenverfall der Hierarchie. Als er gefragt wurde, ob er lieber abschwören oder den Tod auf sich nehmen wolle, wählte er das Schicksal des Märtyrers.

Die Gnade Gottes hielt ihn aufrecht. In den Wochen des Leidens vor seiner endgültigen Verurteilung erfüllte der Friede des Himmels seine Seele. »Ich schreibe diesen Brief«, teilte er einem Freund mit, »in meinem Kerker und mit meinen Händen in Ketten, und morgen erwarte ich mein Todesurteil. ... Wenn wir uns mit der Hilfe Jesu Christi wieder treffen in dem köstlichen Frieden des zukünftigen Lebens, wirst du lernen, wie gnädig Gott mir gegenüber war, wie wirksam er mich inmitten meiner Versuchungen und Not getragen hat.« (LHC, I, 516; vgl. RWG, XIII, 131/132; OAG, dort: PSA, II, 377/ 378; BRAR, II, 67)

In der Dunkelheit seines Kerkers sah er den Sieg des wahren Glaubens voraus. In seinen Träumen kehrte er zu seiner Kapelle in Prag zurück, wo er das Evangelium gepredigt hatte, und sah dort den Papst und die Bischöfe, wie sie die Bilder von Christus übertünchten, die er an die Wände hatte malen lassen. Dieses Traumbild betrübte ihn; aber »am nächsten Tag sah er viele Maler, die damit beschäftigt waren, die Figuren in größerer Anzahl und leuchtenderen Farben zu restaurieren. Sobald ihre Aufgabe fertig war, riefen sie, von einer unzählbaren Menge umgeben: ›Nun lasst die Päpste und Bischöfe kommen, sie werden sie nie mehr übermalen!‹« Der Reformator berichtete von seinem Traum: »Ich weiß mit Sicherheit, dass das Bild

Christi niemals vernichtet werden wird. Sie wollten es zerstören, aber es wird frisch in alle Herzen gemalt werden von besseren Predigern, als ich es bin.« (DAGR, I, 6; vgl. NKG, VI, 2, 2, § 73)

Zum letzten Mal wurde Hus vor das Konzil geführt. Es war eine große und glanzvolle Versammlung. Der Kaiser, die Reichsfürsten, königliche Abgeordnete, Kardinäle, Bischöfe, Priester und eine riesige Volksmenge waren gekommen, um dem Ereignis des Tages beizuwohnen. Leute aus allen Teilen der Christenheit hatten sich als Zeugen dieses ersten großen Opfers in dem anhaltenden Kampf versammelt, durch den die Glaubensfreiheit gesichert werden sollte.

Als er zu einer letzten Aussage aufgefordert wurde, lehnte Hus es ab, seine Lehren zu widerrufen. Er richtete einen durchdringenden Blick auf den Monarchen, der sein Wort so schamlos gebrochen hatte, und erklärte: »Ich bin aus eigenem freiem Entschluss vor dem Konzil erschienen, unter dem öffentlichen Schutz und dem Ehrenwort des hier anwesenden Kaisers.« (BRAR, II, 84; vgl. PGB, 364) Tiefe Röte überzog Sigismunds Gesicht, als sich die Augen der ganzen Versammlung auf ihn richteten.

GEDEMÜTIGT WIE CHRISTUS

Als das Urteil gefällt worden war, begann die Zeremonie der Amtsenthebung. Die Bischöfe kleideten ihren Gefangenen in das priesterliche Gewand, und als er es anlegte, sagte er: »Unser Herr Jesus Christus wurde zum Zeichen der Schmähung mit einem weißen Mantel bedeckt, als Herodes ihn vor Pilatus bringen ließ.« (BRAR, III, 95/96) Als er abermals zum Widerruf ermahnt wurde, antwortete er und wandte sich an das Volk: »Mit welchem Antlitz könnte ich den Himmel anblicken? Wie sollte ich jene Menge von Menschen ansehen, denen ich das reine Evangelium gepredigt habe? Nein, ich erachte ihre Seligkeit höher als diesen armseligen Leib, der nun zum Tode bestimmt ist.« Dann wurde ihm ein Teil des Priesterornats nach dem anderen abgenommen, wobei jeder Bischof einen Fluch über ihn aussprach, während er seinen Teil der Zeremonie durchführte. »Schließlich wurde ihm eine pyramidenförmige Mitra aus

Papier aufgesetzt, die mit schrecklichen dämonischen Figuren bemalt war und vorn die Inschrift ›Haeresiarcha‹ (Erzketzer) trug. ›Mit größter Freude‹, sagte Hus, ›will ich diese Krone der Schmach um deinetwillen tragen, o Jesus, der du für mich die Dornenkrone getragen hast.‹«

Als er so hergerichtet war, »sprachen die Prälaten: ›Nun übergeben wir deine Seele dem Teufel.‹ Aber Hus hob seine Augen zum Himmel und sprach: ›Ich befehle meinen Geist in deine Hände, o Herr Jesus, denn du hast mich erlöst.‹« (WHP, III, 7)

Nun wurde er den weltlichen Behörden übergeben und zum Richtplatz geführt. Ein riesiger Zug folgte nach; Hunderte Waffenträger, Priester und Bischöfe in ihren kostbaren Gewändern und die Bevölkerung von Konstanz. Als er auf dem Scheiterhaufen an den Marterpfahl gebunden wurde und alles bereit war, das Feuer anzuzünden, wurde der Märtyrer nochmals aufgefordert, seine Irrtümer zu widerrufen und sein Leben zu retten. »Welche Irrtümer«, sagte Hus, »sollte ich widerrufen? Ich bin mir keines Irrtums bewusst. Ich rufe Gott zum Zeugen an, dass alles, was ich geschrieben und gepredigt habe, geschehen ist, um Menschen von Sünde und Verderben wegzubringen; und daher bestätige ich freudig mit meinem Blut die Wahrheit, die ich geschrieben und gepredigt habe.« (WHP, III, 7; vgl. NGK.) Als das Feuer um ihn aufflammte, begann er zu singen: »Christe, du Sohn des lebendigen Gottes, erbarme dich meiner!« (NGK, VI, 2, 2, § 69; vgl. HK, VI, 209ff.) Er sang so lange, bis seine Stimme für immer verstummte.

Selbst seine Feinde waren betroffen über dieses heroische Verhalten. Ein eifriger Anhänger des Papsttums, der den Märtyrertod von Hus und Hieronymus aufzeichnete und ein Jahr später starb, schrieb: »Beide ertrugen alles mit standhaftem Gemüt, als ihre letzte Stunde geschlagen hatte. Sie bereiteten sich auf das Feuer vor, als ob sie zu einem Hochzeitsfest gingen. Sie gaben keinen Schmerzenslaut von sich. Als die Flammen emporschlugen, fingen sie an, Loblieder zu singen, und kaum vermochte die Heftigkeit des Feuers ihrem Gesang Einhalt zu gebieten.« (WHP, III, 7; vgl. SHB)

Als Hus' Körper vollständig verbrannt war, wurde seine Asche samt der Erde, auf der sie lag, gesammelt, in den Rhein geworfen und so ins

Meer gespült. Seine Verfolger bildeten sich vergeblich ein, sie hätten die Wahrheiten nun ausgerottet, die er gepredigt hatte. Sie konnten nicht ahnen, dass die Asche, die an jenem Tag dem Meer zuströmte, wie eine Saat war, die in alle Länder der Welt ausgestreut wurde und dass sie in noch unbekannten Ländern eine reiche Ernte an Zeugen für die Wahrheit einbringen würde. Die Stimme, die in der Konzilshalle in Konstanz gesprochen hatte, brachte ein Echo hervor, das in allen kommenden Zeiten gehört werden sollte. Hus lebte nicht mehr, aber die Wahrheit, für die er gestorben war, konnte nicht untergehen. Sein Beispiel an Glauben und Standhaftigkeit würde noch viele ermutigen, fest zur Wahrheit zu stehen, auch angesichts von Folter und Tod. Sein Flammentod rückte der ganzen Welt die hinterhältige Grausamkeit Roms ins Bewusstsein. Die Feinde der Wahrheit förderten dadurch unwissentlich eine Sache, die sie vergebens zu vernichten suchten.

FOLTER UND WIDERRUF

In Konstanz sollte aber noch ein zweiter Scheiterhaufen errichtet werden. Das Blut eines weiteren Märtyrers musste für die Wahrheit Zeugnis ablegen. Als sich Hus vor seiner Abreise zum Konzil verabschiedete, wurde er von Hieronymus ermahnt, mutig und standhaft zu bleiben, und wenn er in irgendeine Not geraten sollte, würde er ihm zu Hilfe eilen. Als er dann von der Gefangennahme des Reformators hörte, machte sich der treue Jünger sofort auf, um sein Versprechen einzulösen. Mit einem einzigen Begleiter und ohne Sicherheitsgeleit machte er sich auf den Weg nach Konstanz. Nach seiner Ankunft wurde ihm klar, dass er sich nur selbst in Gefahr brachte, ohne etwas für die Befreiung von Hus tun zu können. Er floh aus der Stadt, wurde aber auf seinem Heimweg verhaftet und von einer Gruppe Soldaten in Ketten in die Stadt zurückgebracht. Bei seinem ersten Auftritt vor dem Konzil wurden seine Versuche, auf die vorgebrachten Anklagen zu antworten, von Zwischenrufen übertönt: »In die Flammen mit ihm, in die Flammen!« (BRAR, II, 256) Er wurde in ein Verließ geworfen und in einer Körperhaltung angekettet, die ihm große Schmerzen bereitete. Man hielt ihn dort bei Wasser und Brot fest. Unter diesen grausamen Haftbedingungen holte sich Hieronymus nach einigen Monaten eine lebensgefährliche Krankheit. Seine Feinde befürchteten, er könnte ihnen wegsterben, deshalb behandelten sie ihn etwas weniger hart. Dennoch blieb er ein weiteres Jahr in Haft.

Hus' Tod hatte nicht die Wirkung, die sich die Anhänger des Papsttums erhofft hatten. Die Verletzung der Zusicherung des freien Geleits hatte einen Sturm der Entrüstung hervorgerufen. Das Konzil hielt es für besser, einen sichereren Weg einzuschlagen, und beschloss, Hieronymus nicht zu verbrennen, sondern ihn, wenn möglich, zum Widerruf zu zwingen (BRAR, III, 156; vgl. PGB, VI, 312). Man brachte ihn vor die Versammlung und bot ihm die Alternative an, abzuschwören oder auf dem Scheiterhaufen zu sterben. Zu Beginn seiner Kerkerhaft wäre der Tod für ihn eine Gnade gewesen, verglichen mit den schrecklichen Leiden, die er erdulden musste. Nun aber war er durch Krankheit, die strengen Haftbedingungen, die Qualen der Angst und der Ungewissheit, durch die Trennung von seinen Freunden und durch den Tod von Hus so sehr verzagt, dass seine Kraft nachgab und er sich der Forderung des Konzils unterwarf. Er gelobte, sich an den katholischen Glauben zu halten, und stimmte dem Beschluss des Konzils zur Verdammung der Lehren von Wycliff und Hus zu, ausgenommen die »heiligen Wahrheiten«, die beide gelehrt hatten (HK, VII, 235; SCK, XXXIV, 662 ff.).

Durch dieses Mittel glaubte Hieronymus, die Stimme seines Gewissens ersticken zu können und seinem Schicksal zu entkommen. Aber in der Abgeschiedenheit seines Verlieses sah er klarer, was er getan hatte. Er dachte über den Mut und die Treue von Hus nach und erkannte im Gegensatz dazu, dass er die Wahrheit verleugnet hatte. Er dachte an seinen göttlichen Meister, der für ihn den Kreuzestod erduldete und dem zu dienen er sich verpflichtet hatte. Vor seinem Widerruf hatte er inmitten aller Leiden stets Trost in der Gewissheit der Gnade Gottes gefunden. Nun aber quälten ihn Gewissensbisse und Zweifel. Er wusste, dass er noch viel mehr abschwören musste, um mit Rom in Frieden zu leben. Der Pfad, auf den er sich begeben hatte, konnte nur in den völligen Abfall führen. Sein Entschluss war gefasst: Nur um einer kurzen Zeit des Leidens zu entgehen, wollte er seinen Herrn nicht verleugnen.

NEUER MUT

Bald wurde er wieder vor das Konzil geladen. Seine Unterwerfung hatte seine Richter nicht befriedigt. Ihre Blutrünstigkeit, die durch den Tod von Hus entfacht worden war, verlangte nach weiteren Opfern. Hieronymus konnte sein Leben nur durch Preisgabe der Wahrheit retten. Aber er hatte sich entschlossen, seinen Glauben zu bekennen und seinem Leidensbruder in den Flammentod zu folgen.

Er nahm seinen früheren Widerruf zurück und verlangte als Sterbender eine Gelegenheit, sich zu verteidigen. Die Prälaten fürchteten die Folgen seiner Worte und bestanden auf einer einfachen Zustimmung oder Ablehnung der Anklagen, die gegen ihn erhoben wurden. Hieronymus wehrte sich gegen eine solche Grausamkeit und Ungerechtigkeit: »Ganze 340 Tage habt ihr mich in dem schwersten, schrecklichsten Gefängnis, da nichts als Unflat, Gestank, Kot und Fußfesseln neben höchstem Mangel aller notwendigsten Dinge, gehalten. Meinen Feinden gewährt ihr gnädige Audienz, mich aber wollt ihr nicht eine Stunde hören. ... Ihr werdet Lichter der Welt und verständige Männer genannt, so sehet zu, dass ihr nichts unbedachtsam wider die Gerechtigkeit tut. Ich bin zwar nur ein armer Mensch, welches Haut es gilt. Ich sage auch dies nicht, der ich sterblich bin, meinetwegen. Es verdrießt mich, dass ihr als weise, verständige Männer wider alle Billigkeit ein Urteil fällt.« (TH, 158)

Seinem Gesuch wurde schließlich stattgegeben. In Gegenwart seiner Richter kniete Hieronymus nieder und betete, dass der göttliche Geist seine Gedanken und Worte leiten möge und er nichts Unwahres oder Unwürdiges über seinen Meister sagen werde. An ihm erfüllte sich an diesem Tag das Versprechen Gottes an die ersten Jünger: »Und man wird euch vor Statthalter und Könige führen um meinetwillen. ... Wenn sie euch nun überantworten werden, so sorgt nicht, wie oder was ihr reden sollt; denn es soll euch zu der Stunde gegeben werden, was ihr reden sollt. Denn nicht ihr seid es, die da reden, sondern eures Vaters Geist ist es, der durch euch redet.« (Matthäus 10,18-20)

Hieronymus' Worte riefen selbst bei seinen Feinden Staunen und Bewunderung hervor. Ein ganzes Jahr lang war er in einem Verlies eingemauert gewesen, weder in der Lage zu lesen noch etwas zu sehen, unter körperlichen Leiden und seelischen Ängsten. Doch trug er seine Argumente in großer Klarheit und Macht vor, als ob er ungestört Gelegenheit zu deren Formulierung gehabt hätte. Er wies auf eine Reihe heiliger Männer hin, die durch ungerechte Richter verurteilt worden waren. In fast jeder Generation hat es Männer gegeben, die das Volk ihrer Zeit aufrichten wollten, und deshalb getadelt und ausgestoßen wurden, denen man aber in späterer Zeit die notwendige Ehre erwies. Christus selbst sei von einem ungerechten Gericht als Übeltäter verdammt worden.

STANDHAFT WIE CHRISTUS

Bei seinem Widerruf hatte Hieronymus dem Urteil der Justiz über Hus zugestimmt. Jetzt bereute er das und bezeugte die Unschuld und Heiligkeit des Märtyrers. »Ich kannte ihn von seiner Kindheit an«, sagte er, »er war ein großartiger Mann, gerecht und heilig; er wurde trotz seiner Unschuld verurteilt. ... Ich bin ebenfalls bereit zu sterben. Ich schrecke nicht vor der Folter zurück, die mir von meinen Feinden und falschen Zeugen bereitet wird. Sie müssen eines Tages vor dem großen Gott, den niemand täuschen kann, für ihre Verleumdungen Rechenschaft ablegen.« (BRAR, II, 151)

Er klagte sich wegen seiner Verleugnung der Wahrheit an und fuhr fort: »Darüber hinaus nagt und plagt mich keine Sünde, die ich von Jugend an getan habe, so hart, als die an diesem todbringenden Ort begangene, da ich dem unbilligen Urteil, so über Wycliff und den heiligen Märtyrer Hus, meinen getreuen Lehrer, verhängt wurde, beistimmte und aus Zaghaftigkeit und Todesfurcht sie verfluchte. Deshalb ich an derselben Stelle dagegen durch Hilfe, Trost und Beistand Gottes und des Heiligen Geistes frei öffentlich mit Herz und Mund und Stimme bekenne, dass ich meinen Feinden zu Gefallen sehr viel Übles getan habe. Ich bitte Gott, mir solches aus Gnaden zu verzeihen und aller meiner Missetaten, worunter diese die größte ist, nicht zu gedenken.« (TH, 162; vgl. VHCC, 183)

Dann zeigte er auf die Richter und sagte standhaft: »Ihr habt Wycliff und Hus verdammt, nicht etwa, weil sie an den Lehren der Kirche gerüttelt, sondern weil sie die Schandtaten der Geistlichkeit, ihren Aufwand, Stolz und all die Laster gebrandmarkt hatten. Ihre Behauptungen sind unwiderlegbar, auch ich halte daran fest gleichwie sie.«

Dann wurde er unterbrochen, und wütend vor Zorn schrien die Prälaten: »Was bedarf es weiterer Beweise? Wir sehen mit unseren eigenen Augen den halsstarrigsten Ketzer!«

Von ihrem Rasen unberührt, rief Hieronymus aus: »Was! Meint ihr, ich fürchte mich zu sterben? Ihr habt mich ein ganzes Jahr in einem fürchterlichen Verlies gehalten, schrecklicher als der Tod selbst. Ihr habt mich grausamer behandelt als einen Türken, Juden oder Heiden, und mein Fleisch ist mir buchstäblich auf meinen Knochen bei lebendigem Leibe verfault, und dennoch beklage ich mich nicht, denn Klagen ziemen sich nicht für einen Mann von Herz und Mut; doch ich kann nur mein Erstaunen über eine solche Barbarei an einem Christen ausdrücken.« (BRAR, III, 168/169)

Abermals brach ein Sturm los, und Hieronymus wurde auf schnellstem Weg wieder ins Gefängnis gesteckt. Doch unter den Zuschauern waren etliche, auf die seine Worte einen tiefen Eindruck machten und die sein Leben retten wollten. Die höchsten kirchlichen Würdenträger besuchten ihn im Gefängnis und baten ihn innigst, sich dem Konzil zu unterwerfen. Es wurden ihm die großartigsten Belohnungen versprochen, falls er seinen Widerstand gegen Rom aufgeben würde. Aber Hieronymus blieb standhaft wie sein Meister, als diesem die ganze Herrlichkeit dieser Welt angeboten wurde.

»Kann ich aus der Heiligen Schrift überführt werden«, sagte er, »will ich von Herzen um Vergebung bitten; wo nicht, will ich nicht weichen, auch nicht einen Schritt.« Darauf sagte einer von denen, die ihn versuchen wollten: »Muss alles aus der Schrift beurteilt werden? Wer kann sie verstehen? Muss man nicht die Kirchenväter zu ihrer Auslegung heranziehen?«

Hieronymus erwiderte: »Was höre ich da? Soll das Wort falsch sein oder beurteilt werden? Soll es nicht allein gehört werden? Sollen die Menschen mehr gelten als das heilige Wort Gottes? ... Warum hat Paulus seine Bischöfe nicht ermahnt, auf die Ältesten zu hören, sondern gesagt, die Heilige Schrift kann dich unterweisen?«, antwortete Hieronymus. »Nein, das nehme ich nicht an, es koste mein Leben. Gott kann es wiedergeben.«

»Du Ketzer«, war die Antwort, »es reut mich, dass ich so viel deinetwegen getan habe. Ich sehe wohl, dass der Teufel dich regiert.« (TH, 162-164)

Bald darauf fällte man das Todesurteil über ihn. Er wurde an denselben Ort geführt, an dem Hus sein Leben gelassen hatte. Singend ging er seinen Weg, sein Antlitz strahlte Frieden und Freude aus. Sein Blick war auf Christus gerichtet, und der Tod hatte für ihn seine Schrecken verloren. Als der Scharfrichter hinter seinem Rücken den Scheiterhaufen anzünden wollte, rief der Märtyrer: »Kommt mutig nach vorn und zündet ihn vor meinen Augen an. Wenn ich mich gefürchtet hätte, wäre ich nicht hier.«

Als die Flammen um ihn herum aufstiegen, sprach er ein letztes Gebet: »Herr, allmächtiger Vater, erbarme dich mein und vergib mir meine Sünden; denn du weißt, dass ich deine Wahrheit allezeit geliebt habe.« (BRAR, III, 185/186) Seine Stimme versagte, doch seine Lippen bewegten sich weiter im Gebet. Als das Feuer sein Werk getan hatte, wurde die Asche des Märtyrers samt der Erde, auf der sie lag, aufgenommen und gleich der von Hus in den Rhein gestreut (TH, 168).

So kamen Gottes Lichtträger um. Aber das Licht der Wahrheit, das sie verbreiteten, das Licht ihres heldenhaften Beispiels, konnte nicht ausgelöscht werden. Ebenso gut hätten Menschen versuchen können, die Sonne in ihrem Lauf zu hindern oder die Morgendämmerung aufzuhalten, die soeben begonnen hatte, die Erde zu erleuchten.

KRIEG IN BÖHMEN

In Böhmen entfachte Hus' Hinrichtung eine Flamme der Entrüstung und des Schreckens. Die ganze Nation empfand, dass er der Arglist der Priester und dem Treuebruch des Kaisers zum Opfer gefallen war. Er wurde als treuer Lehrer der Wahrheit angesehen, und das Konzil, das ihn zum Tod verurteilt hatte, wurde des Mordes beschuldigt. Seine Lehren gewannen nun größere Aufmerksamkeit als je zuvor. Durch päpstliche Erlasse waren die Schriften Wycliffs verdammt und dem Feuer übergeben worden. Was vor der Vernichtung verschont geblieben war, wurde jetzt aus Verstecken hervorgeholt und zusammen mit der Bibel oder mit erworbenen Bibelteilen studiert. Viele kamen so zum reformierten Glauben.

Die Mörder von Hus jedoch sahen nicht tatenlos dem Sieg seiner Lehre zu. Papst und Kaiser schlossen sich zusammen, um die Bewegung zu vernichten, und Sigismunds Heere fielen in Böhmen ein.

Doch ein Befreier erhob sich. Jan Ziska, der bald nach Ausbruch des Krieges völlig erblindete, jedoch einer der tüchtigsten Feldherren des Landes war, wurde der Führer der Böhmen. Sein Volk verließ sich auf die Hilfe Gottes und widerstand den mächtigsten Heeren, die gegen sie geführt wurden. Immer wieder fiel der Kaiser mit frischen Truppen in Böhmen ein, und immer wieder wurde er schmählich zurückgeschlagen. Die Hussiten überwanden die Furcht vor dem Tode und niemand konnte sie schlagen. Einige Jahre nach Kriegsbeginn starb der tapfere Ziska, doch sein Platz wurde von Andreas Prokop eingenommen, der ein ebenso tapferer General und in mancher Beziehung sogar ein fähigerer Anführer war.

Als die Feinde erfuhren, dass der blinde Kriegsmann tot war, meinten sie, dies sei eine günstige Gelegenheit, um alles zurückzuerobern, was sie verloren hatten. Der Papst rief nun zu einem Kreuzzug auf, und wiederum drang eine ungeheure Streitmacht in Böhmen ein, und abermals wurde sie vernichtend geschlagen. Ein weiterer Kreuzzug wurde ausgerufen, und in allen päpstlichen Ländern Europas sammelte man Männer, Geld und Waffen. Ganze Volksmengen scharten sich unter das Banner des Papstes und waren überzeugt, der hussitischen Ketzerei endlich ein Ende zu bereiten. Siegesgewiss drang das Riesenheer in Böhmen ein. Das Volk versammelte sich, um es zurückzutreiben. Beide Heere marschierten aufeinander zu, bis sie nur noch durch einen Fluss voneinander getrennt waren. »Die Kreuzfahrer waren ihren Gegnern an Zahl weit überlegen, doch statt über den Fluss zu setzen und die Hussiten anzugreifen, gegen die zu kämpfen sie doch von so weit gekommen waren, starrten sie schweigend auf diese Krieger.« (WHP, III, 17; vgl. OAG, dort: PSA, II, 397-408) Dann befiel das Heer des Kaisers plötzlich ein geheimnisvoller Schrecken. Ohne einen Schwertstreich getan zu haben und wie von einer unsichtbaren Macht vertrieben, brach die ganze Heeresmacht auseinander. Viele wurden durch das hussitische Heer niedergemetzelt, das die Flüchtenden verfolgte. Eine ungeheure Beute fiel den Siegern in die Hände, sodass der Krieg den Böhmen Reichtum statt Armut einbrachte. (WHP, III, 17)

Einige Jahre später rief ein neuer Papst zu einem weiteren Kreuzzug auf. Wie vorher schaffte man aus allen päpstlichen Ländern Europas Menschen und Mittel herbei. Groß waren die Anreize für jene, die zu diesem gefährlichen Unternehmen bereit waren. Volle Vergebung für abscheulichste Verbrechen wurde jedem Kreuzfahrer zugesichert. Allen, die im Krieg umkommen sollten, wurde eine reiche Belohnung im Himmel versprochen, und wer auf dem Schlachtfeld überlebte, sollte Reichtum und Ehre ernten. Erneut wurde ein großes Heer zusammengezogen und wiederum drang man in Böhmen ein. Die hussitischen Streitkräfte zogen sich vor den Invasoren weit ins Landesinnere zurück und verleiteten diese zur Annahme, den Sieg bereits in der Tasche zu haben. Schließlich hielt das Heer Prokops an, wandte sich gegen den Feind um und ging zum Angriff über. Jetzt entdeckten die Kreuzfahrer ihren Irrtum, blieben in ihrem Lager und warteten auf den Angriff. Als sie das Getöse des herannahenden Heeres vernahmen, wurden sie vom Schrecken ergriffen, noch ehe sie die Hussiten zu Gesicht bekamen. Fürsten, Generäle und einfache Soldaten warfen ihre Rüstungen weg und flohen in alle Richtungen. Umsonst versuchte der päpstliche Legat als Anführer der Invasion seine erschreckten und durcheinander geratenen Truppen zu sammeln. Trotz großer Bemühungen wurde er vom Strom seines flüchtenden Heeres weggefegt. Wiederum war die Niederlage vollkommen, und den Siegern fiel eine große Beute in die Hände.

Zum zweiten Mal floh nun ein gewaltiges Heer, das aus mutigen und für Schlachten ausgebildeten und ausgerüsteten Soldaten aus den mächtigsten Nationen Europas bestand, ohne Schwertstreich vor den Verteidigern eines kleinen und bis dahin schwachen Volkes. Hier konnte man eine göttliche Macht erkennen. Die Invasoren wurden durch eine übernatürliche Kraft geschlagen. Derjenige, der die Heere des Pharaos am Roten Meer vernichtete, die Midianiter vor Gideon mit seinen dreihundert Mann in die Flucht schlug, der in einer Nacht die Streitkräfte der stolzen Assyrer ausschaltete, hatte abermals seine Hand ausgestreckt und der Macht dieses Unterdrückers ein Ende bereitet. »Sie fürchten sich da, wo nichts zu fürchten ist; doch Gott zerstreut die Gebeine derer, die dich bedrängen. Du machst sie zuschanden, denn Gott hat sie verworfen.« (Psalm 53,6)

KOMPROMISSE, SPALTUNGEN UND NEUE GEMEINSCHAFTEN

Als die päpstlichen Führer an der Eroberung durch Gewalt verzweifelten, schlugen sie den Verhandlungsweg ein. Es kam zu einem Vergleich, der den Böhmen zwar die Gewissensfreiheit gewährte, sie in Wirklichkeit jedoch unter die Gewalt Roms brachte. Die Böhmen stellten für einen Frieden mit Rom vier Bedingungen: die freie Predigt der Wahrheit, das Recht der ganzen Gemeinde auf Brot und Wein beim Abendmahl, den Gebrauch der Muttersprache beim Gottesdienst und den Ausschluss der Geistlichen von weltlichen Ämtern und Rechten; und im Fall von Verbrechen eine Strafgerichtsbarkeit der bürgerlichen Gerichte über Geistliche wie Laien. Die päpstlichen Machthaber »stimmten schließlich zu, dass die vier Artikel der Hussiten angenommen werden; aber das Recht ihrer Auslegung, also die Bestimmung ihrer genauen Bedeutung sollte dem Konzil vorbehalten bleiben, das heißt dem Papst und dem Kaiser« (WHP, III, 18; vgl. CGKB, I, 197). Auf dieser Grundlage wurde ein Abkommen geschlossen, und Rom erhielt durch Heuchelei und Betrug, was es durch Waffengewalt vergebens zu erreichen versuchte. Wie bei der Auslegung der Bibel wurde den hussitischen Artikeln eine eigene Interpretation gegeben. Ihr Sinn wurde verdreht, damit sie mit den eigenen Absichten übereinstimmten.

Große Kreise in Böhmen konnten diesem Pakt nicht zustimmen, da sie sich in ihrer Freiheit betrogen fühlten. Es entstanden Uneinigkeit und Spaltungen, die zu Streit und Blutvergießen unter ihnen selbst führten. In einem solchen Streit fiel der edle Prokop, und die Freiheit Böhmens war dahin.

Sigismund, der Verräter von Hus und Hieronymus, wurde nun König von Böhmen, und ungeachtet seines Eides, die Rechte der Böhmen zu unterstützen, ging er dazu über, dem Papsttum wieder Einfluss zu verschaffen. Doch durch seine Unterwerfung unter Rom hatte er wenig gewonnen. Sein Leben war von zwanzig langen Jahren der Mühen und Gefahren gezeichnet. Seine Heere wurden durch den langen und unnützen Kampf aufgerieben, seine Schätze verbraucht. Und nun, ein Jahr nach seinem Amtsantritt in Böhmen, starb er. Zurück blieb ein Land am Rand eines Bürgerkriegs, und der Nachwelt hinterließ er einen Namen, der von Schande geprägt war.

Es folgte eine Zeit voller Aufruhr, Streit und Blutvergießen. Wieder drangen fremde Heere in Böhmen ein, und die innere Uneinigkeit zerrüttete das Volk. Wer dem Evangelium treu blieb, wurde blutig verfolgt.

Während ihre früheren Brüder einen Pakt mit Rom schlossen und dessen Irrtümer annahmen, bildeten die Gottesfürchtigen, die an ihrem Glauben festhielten, unter dem Namen »Unitas Fratrum« oder »Brüder-Unität« eine neue Gemeinschaft.* Dieser Schritt brachte ihnen die Verwünschungen aller Gesellschaftsschichten. Doch sie ließen sich nicht

* Aus dieser Bruderschaft ging später die Herrnhuter Gemeinde in Sachsen hervor.

erschüttern. Sie waren gezwungen, in Wäldern und Höhlen Zuflucht zu suchen, und versammelten sich trotzdem, um Gottes Wort zu lesen und Gottesdienste abzuhalten.

Durch Boten, die sie heimlich in verschiedene Länder aussandten, erfuhren sie, dass hier und da »vereinzelte Bekenner der Wahrheit lebten, etliche in dieser, etliche in jener Stadt, die wie sie verfolgt wurden, und dass es in den Alpen eine alte Gemeinde gab, die auf der Grundlage der Schrift stand und gegen die abgöttischen Verderbnisse Roms protestierte« (WHP, III, 19). Diese Nachricht wurde mit großer Freude aufgenommen, und es entstand ein Schriftverkehr mit den Waldensern.

Standfest im Glauben an das Evangelium verharrten diese Böhmen durch die Nacht ihrer Verfolgung und hielten in dieser dunkelsten Stunde ihre Augen stets dem Horizont zugewandt, wie Menschen, die auf den Morgen warten. »Ihr Los fiel in böse Tage; aber ... sie erinnerten sich der Worte, die zuerst von Hus ausgesprochen und dann von Hieronymus wiederholt worden waren, dass ein Jahrhundert verstreichen müsse, ehe der Tag anbrechen könne. Diese Worte waren für die Taboriten* das, was Josefs Worte für die Stämme im Hause der Knechtschaft waren: ›Ich sterbe; aber Gott wird euch heimsuchen und aus diesem Lande führen.‹« (WHP, III, 19)

»Die letzten Jahre des 15. Jahrhunderts bezeugen den langsamen, aber sicheren Zuwachs der Brüdergemeinden. Obgleich sie durchaus nicht unbelästigt blieben, erfreuten sie sich verhältnismäßiger Ruhe. Am Anfang des 16. Jahrhunderts zählten sie in Böhmen und Mähren über zweihundert Gemeinden.« (GLTH, 3. Aufl., II, 570) »So groß war die Zahl der Übriggebliebenen, die der verheerenden Wut des Feuers und des Schwertes entgangen waren und die die Dämmerung jenes Tages sehen durften, den Hus vorhergesagt hatte.« (WHP, III, 19)

* Nach der säkularen Geschichtsschreibung der radikale Flügel der Hussiten, der im Gegensatz zu den Kalixtinern nicht zum päpstlichen Glauben zurückkehrte.

KAPITEL 3

MARTIN LUTHER BRICHT MIT ROM

Unter denen, die berufen wurden, die Gemeinde aus der Finsternis der Papstkirche in das Licht eines reineren Glaubens zu führen, stand Martin Luther an vorderster Stelle. Er war eifrig, feurig und hingebungsvoll und kannte keine Furcht außer der Ehrfurcht vor Gott. Als Grundlage für den Glauben anerkannte er allein die Heilige Schrift. Luther war der Mann der Stunde. Durch ihn verwirklichte Gott ein großes Werk für die Reformation der Kirche und die Erleuchtung der Welt.

SCHUL- UND STUDIENZEIT

Wie die ersten Verkündiger des Evangeliums kam Luther aus den Reihen der Armen. Seine frühe Kindheit verbrachte er im bescheidenen Heim eines deutschen Bauern. Durch die tägliche harte Arbeit als Bergmann verdiente sein Vater die Mittel, damit sein Sohn studieren konnte. Er wollte aus ihm einen Juristen machen. Aber Gottes Absicht war es, aus ihm einen Baumeister an jenem großen Tempel zu machen, der sich im Laufe der Jahrhunderte langsam erhob. Die Schule, in der Luther durch

Gemälde: DIE THESEN | Martin Luther und der 31. Oktober 1517

die göttliche Vorsehung auf diese wichtige Lebensaufgabe vorbereitet wurde, bestand aus Mühsal, Entbehrung und strenger Disziplin.

Luthers Vater war willensstark, geistig rege, charakterfest, ehrlich, bestimmt und geradlinig. Er blieb seinen Überzeugungen stets treu, egal was es kostete. Sein gesunder Menschenverstand führte ihn dazu, dem Mönchtum mit Misstrauen zu begegnen. Er war daher äußerst verärgert, als sein Sohn ohne väterliche Zustimmung in ein Kloster eintrat. Es dauerte zwei Jahre, bis er sich mit seinem Sohn versöhnte, doch seine Grundhaltung gegenüber dem Mönchtum blieb dieselbe.

Luthers Eltern legten großen Wert auf die Erziehung und Ausbildung ihrer Kinder. Sie bemühten sich, ihnen eine gute Kenntnis über Gott und praktische christliche Tugenden zu vermitteln. Oft hörte der Sohn, wie sein Vater zu Gott betete, das Kind möge sich doch stets an den Namen des Herrn erinnern und eines Tages zur Förderung der Wahrheit beitragen. Soweit es ihr arbeitsreiches Leben zuließ, nutzten die Eltern jede Möglichkeit, sich sittlich und geistig weiterzubilden. Sie bemühten sich ernsthaft und beharrlich, ihre Kinder auf ein frommes und nützliches Leben vorzubereiten. Zuweilen waren sie in ihrer Entschiedenheit und Charakterfestigkeit mit ihren Kindern etwas zu streng, doch der Reformator fand für ihre Erziehung mehr lobende als tadelnde Worte, obwohl ihm bewusst war, dass sie sich in manchen Bereichen geirrt hatten.

In der Schule, die er schon in jungen Jahren besuchte, bekam Luther Härte und sogar Gewalt zu spüren. Seine Eltern waren sehr arm, und als Luther sein Zuhause verließ, um die Schule in einer anderen Stadt zu besuchen, musste er eine Zeit lang als Kurrendesänger von Haus zu Haus gehen, um sein Brot zu verdienen. Häufig litt er Hunger. Die damals vorherrschenden finsteren und abergläubischen Vorstellungen von Religion machten ihm Angst. Abends legte er sich sorgenbeladen zu Bett, blickte bedrückt in die dunkle Zukunft und hatte dauernd Angst beim Gedanken an Gott, den er sich als harten, unerbittlichen Richter und grausamen Tyrannen vorstellte und nicht als liebevollen himmlischen Vater.

Obwohl Luther oft mit sehr entmutigenden Umständen zu kämpfen hatte, strebte er entschlossen vorwärts. Er fühlte sich zu hohen moralischen Werten und zu geistiger Höchstleistung hingezogen. Er war wissensdurstig und seine Ernsthaftigkeit sowie sein praktischer Sinn strebten nach dem Beständigen und Nützlichen und nicht nach Aufsehenerregendem und Oberflächlichem.

Als er mit achtzehn in die Universität Erfurt eintrat, hatte sich seine Lage ein wenig verbessert und seine Aussichten waren etwas erfreulicher als in früheren Jahren. Sparsamkeit und Fleiß ermöglichten es seinen Eltern, ihn mit allem zu unterstützen, was er nötig hatte und der Einfluss verständnisvoller Freunde milderte die belastenden Folgen seiner früheren Erziehung. Nun studierte er eifrig die Schriften der besten Autoren, behielt ihre wichtigsten Gedanken in Erinnerung und machte sich ihre Weisheit zu Eigen. Schon unter der harten Disziplin seiner früheren Lehrer hatte er sich ausgezeichnet. Unter den weitaus günstigeren Bedingungen entwickelte sich sein Geist nun schnell. Sein gutes Gedächtnis, seine lebhafte Fantasie, sein Scharfsinn und sein unermüdlicher Einsatz machten ihn bald zu einem der besten unter seinen Kollegen. Diszipliniertes Denken förderte sein Auffassungsvermögen, sein Geist wurde belebt und seine Wahrnehmung geschärft. Auf diese Weise wurde er auf die Auseinandersetzungen seines Lebens vorbereitet.

Luthers Herz war von Ehrfurcht gegenüber Gott erfüllt. Diese befähigte ihn, grundsatztreu zu bleiben und in Demut vor seinem Herrn zu leben. Ständig war ihm seine Abhängigkeit von Gottes Hilfe bewusst. Es gab keinen Tag, den er nicht im Gebet begann, und in seinem Herzen bat er Gott unablässig um Führung und Beistand. Oft sagte er: »Fleißig gebetet ist über die Hälfte studiert.« (DAGR, II, 2; vgl. MLH, 3)

DIE ENTDECKUNG IM KLOSTER

Als Luther eines Tages in der Universitätsbibliothek in Büchern stöberte, entdeckte er eine lateinische Bibel. Noch nie hatte er ein solches Buch gesehen. Er selbst bezeugte: »Da ich zwanzig Jahre alt war, hatte ich noch keine gesehen. Ich meinte, es wären keine Evangelien noch Episteln mehr, denn die in den Postillen sind.« (LEA LX, 255) Nun blickte er zum ersten Mal auf das ganze Wort Gottes. Mit Ehrfurcht und Bewunderung blätterte er die heiligen Seiten um. Mit beschleunigtem Puls und klopfendem Herzen las er ganz allein die Worte des Lebens, hielt hin und wieder inne und rief: »Oh, dass Gott mir solch ein Buch als mein Eigentum geben wollte!« (DAGR, II, 2). Himmlische Engel standen ihm zur Seite, und Strahlen von Gottes Thron offenbarten seinem Verstand die Schätze der Wahrheit. Stets hatte er sich gefürchtet, Gott zu beleidigen. Nun aber wurde er von seiner Sündhaftigkeit so fest überzeugt wie nie zuvor.

Das aufrichtige Verlangen, von Sünden befreit zu sein und mit Gott in Frieden zu leben, hatte ihn veranlasst, in ein Kloster einzutreten und als Mönch zu leben. Hier musste er die niedrigsten Fronarbeiten leisten und von Haus zu Haus betteln gehen. Er war in einem Alter, in dem man sich am meisten nach Achtung und Anerkennung sehnt. Durch solche Sklavenarbeit fühlte er sich jedoch zutiefst gedemütigt. Dennoch ertrug er diese Erniedrigung geduldig, weil er glaubte, dass sie um seiner Sünden willen notwendig sei.

Jeden Augenblick, den er von seinen täglichen Pflichten erübrigen konnte, benutzte er zum Studium. Er gönnte sich wenig Schlaf und nahm sich kaum Zeit für seine kärglichen Mahlzeiten. Das Studium der Heiligen Schrift befriedigte ihn am meisten. Im Kloster hatte er eine Bibel gefunden, die an eine Mauer gekettet war, und an diesen Ort zog er sich oft zurück. Je mehr er von seinen Sünden überzeugt wurde, desto stärker versuchte er, Vergebung und Frieden durch eigene Werke zu finden. Er führte ein äußerst hartes Leben und bemühte sich, durch Fasten, Wachen und Kasteien das Böse in seinem Wesen zu besiegen, von dem ihm das Leben als Mönch keine Befreiung brachte. Er schreckte vor keinem Opfer zurück, das ihm jene Reinheit des Herzens bringen könnte, die ihm vor Gott Anerkennung brächte. Er sagte später: »Wahr ist's, ein frommer Mönch bin ich gewesen, und habe so gestrenge meinen

Orden gehalten, dass ich's sagen darf: Ist je ein Mönch gen Himmel gekommen durch Möncherei, so wollte ich auch hineingekommen sein; denn ich hätte mich (wo es länger gewährt hätte) zu Tode gemartert mit Wachen, Beten, Lesen und anderer Arbeit.« (DAGR, II, 3; vgl. LEA, XXXI, 273) Diese belastende Disziplin schwächte ihn und er erlitt Ohnmachtsanfälle, von denen er sich nie richtig erholte. Doch trotz all seiner Bemühungen fand seine schuldbeladene Seele keine Befreiung. So trieb es ihn an den Rand der Verzweiflung.

Als es schien, dass für Luther alles verloren war, sandte ihm Gott einen Freund und Helfer. Der gottergebene Staupitz öffnete ihm das Wort Gottes und forderte ihn auf, von sich selbst wegzuschauen, aufzuhören mit dem Nachdenken über die ewige Qual für die Übertretung des Gesetzes Gottes und auf Jesus zu schauen, seinen die Sünden vergebenden Befreier. »Statt dich wegen deiner Sünden zu kasteien, wirf dich in die Arme des Erlösers. Vertraue auf ihn, auf die Gerechtigkeit seines Lebens, auf die Versöhnung in seinem Tode. Horch auf den Sohn Gottes. Er ist Mensch geworden, um dir die Gewissheit seiner göttlichen Gunst zu geben. ... Liebe ihn, der dich zuerst geliebt hat.« (DAGR, II, 3; vgl. WLS, II, 264) So sprach dieser Botschafter der Gnade. Seine Worte machten auf Luther einen nachhaltigen Eindruck. Nach vielen Kämpfen mit lang gehegten Irrtümern konnte er endlich die Wahrheit erfassen und seine aufgewühlte Seele fand Frieden.

ENTTÄUSCHUNG IN ROM

Luther wurde zum Priester geweiht und aus dem Kloster als Professor an die Universität Wittenberg berufen. Hier widmete er sich dem Studium der Heiligen Schrift in den Ursprachen und begann Vorlesungen über die Bibel zu halten. So wurden die Psalmen, die Evangelien und die neutestamentlichen Briefe Scharen von begeisterten Zuhörern zugänglich und verständlich gemacht. Staupitz, sein Freund und Vorgesetzter, drängte ihn, auf die Kanzel zu gehen und das Wort Gottes zu predigen. Luther zögerte, denn er fühlte sich unwürdig, an Christi Statt zum

Volk zu reden. Nach langem inneren Kampf gab er dem Drängen seiner Freunde nach. Er war mit der Schrift bereits sehr gut vertraut und die Gnade Gottes war mit ihm. Seine Wortgewandtheit fesselte die Aufmerksamkeit der Zuhörer. Die Klarheit und Vollmacht, mit der er die Wahrheit darlegte, überzeugte ihren Verstand, und sein glühender Eifer rührte ihr Herz an.

Luther war nach wie vor ein treuer Sohn der päpstlichen Kirche, und es fiel ihm nicht im Entferntesten ein, je etwas anderes zu sein. Durch die Vorsehung Gottes konnte er Rom besuchen. Zu Fuß machte er sich auf die Reise und übernachtete in Klöstern, die am Weg lagen. In einem italienischen Kloster war er über den Reichtum, die Pracht und den Luxus erstaunt. Mit einem fürstlichen Einkommen ausgestattet, wohnten die Mönche in prächtigen Gemächern, kleideten sich in die reichsten und kostbarsten Gewänder und aßen an einem reich gedeckten Tisch. Eine böse Vorahnung beschlich ihn, als er diese Zustände mit der Selbstverleugnung und Härte seines eigenen Lebens verglich und seine Gedanken wurden zunehmend verwirrt.

Endlich erblickte er in der Ferne die Stadt der sieben Hügel. Tief bewegt warf er sich zu Boden und rief: »Sei mir gegrüßt, du heiliges Rom!« (DAGR, II, 6) Er betrat die Stadt, besuchte die Kirchen, hörte den Wundererzählungen der Priester und Mönche zu und befolgte alle vorgeschriebenen Zeremonien. Wohin er auch blickte, immer wieder wurde er in Staunen aber auch in Schrecken versetzt. Er sah, dass es in allen Klassen der Geistlichkeit Ungerechtigkeit gab. Von Prälaten hörte er unanständige Witze, und ihre schlimme Respektlosigkeit, die sich sogar in der Messe zeigte, erfüllte ihn mit Schrecken. Als er sich unter die Mönche und das Volk begab, fand er überall Prasserei und Ausschweifung. Wohin er sich auch wandte, an den heiligen Stätten sah er nur Unheiliges. »Niemand glaube«, schrieb er, »was zu Rom für Büberei und gräulich Sünde und Schande gehen ... er sehe, höre und erfahre es denn. Daher sagt man: ›Ist irgendeine Hölle, so muss Rom drauf gebaut sein; denn da gehen alle Sünden im Schwang.‹« (DAGR, II, 6; vgl. LEA, LXII, 441)

Durch einen kurz zuvor veröffentlichten Erlass hatte der Papst all jenen Ablass versprochen, die auf den Knien die »Pilatusstiege« hinaufrutschen würden. Von dieser Treppe wurde gesagt, dass unser Erlöser auf ihr hinuntergegangen sei, als er das römische Gerichtshaus verließ, und dass sie durch ein Wunder von Jerusalem nach Rom gelangt sei (siehe RDG, 8. Aufl., I, 200). Andächtig erklomm Luther eines Tages diese Treppe, als plötzlich eine donnerähnliche Stimme ihm zu sagen schien: »Der Gerechte wird aus Glauben leben.« (Römer 1,17) Er sprang auf und verließ beschämt, entsetzt und in Eile diese Stätte. Jene Bibelstelle aber verlor bei ihm nie ihre Wirkung. Von nun an erkannte er deutlicher als je zuvor den Irrtum, sich für die Erlösung auf Menschenwerke zu verlassen, und er begriff die Notwendigkeit, ständig auf die Verdienste Christi zu vertrauen. Seine Augen waren geöffnet worden und sie sollten sich vor der Irreführung des Papsttums nie mehr verschließen. Als er der Stadt Rom den Rücken kehrte, wandte sich auch sein Herz ab, und von da an wurde die Kluft immer tiefer, bis er sich ganz von der päpstlichen Kirche trennte.

ZWISCHEN LICHT UND FINSTERNIS

Nach seiner Rückkehr aus Rom wurde Luther von der Universität Wittenberg der Titel eines Doktors der Theologie verliehen. Damit erhielt er die Freiheit, sich wie nie zuvor dem Studium der Heiligen Schrift zu widmen, die er so liebte. Er hatte feierlich gelobt, während seines ganzen Lebens das Wort sorgfältig zu erforschen und zu predigen und nicht auf Aussagen und Lehren der Päpste zu achten. Luther war nicht mehr nur Mönch oder Professor, sondern der bevollmächtigte Verkünder der Bibel und als Hirte berufen, die Herde zu weiden, die nach Wahrheit hungerte und dürstete. Er erklärte mit Nachdruck, dass Christen keine anderen Lehren annehmen sollten als die, welche auf der Autorität der Heiligen Schrift beruhen. Diese Worte erschütterten das Fundament des päpstlichen Lehrgebäudes. Sie enthielten die wesentlichen Grundprinzipien der Reformation.

Luther erkannte die Gefahr, menschliche Theorien über das Wort Gottes zu erheben. Furchtlos griff er den spitzfindigen Unglauben der Schulgelehrten an und trat der Philosophie und Theologie entgegen, die schon so lange ihren herrschenden Einfluss auf das Volk ausgeübt hatten. Er verurteilte solche Lehren nicht nur als wertlos, sondern als verderblich. Luther bemühte sich, die Aufmerksamkeit seiner Zuhörer von den Spitzfindigkeiten der Philosophen und Theologen abzuwenden, und auf die ewigen Wahrheiten zu lenken, welche die Propheten und Apostel verkündigt hatten.

Wie kostbar war die Botschaft, die er einer erwartungsvollen Zuhörerschaft bringen durfte. Nie zuvor waren den Menschen solche Lehren zu Ohren gekommen. Die frohe Botschaft von der Liebe des Erlösers und von der Gewissheit der Vergebung durch das versöhnende Blut Christi erfreute die Herzen und erfüllte sie mit unvergänglicher Hoffnung. In Wittenberg wurde ein Licht entfacht, dessen Strahlen die hintersten Winkel der Erde erreichen und das bis zum Ende der Zeit immer heller leuchten sollte.

Doch Licht und Finsternis lassen sich nicht vereinen. Zwischen Wahrheit und Irrtum tobt ein unvermeidbarer Kampf. Das eine aufrecht zu erhalten und zu verteidigen heißt, das andere anzugreifen und zu stürzen. Christus selbst sagte: »Ich bin nicht gekommen, Frieden zu bringen, sondern das Schwert.« (Matthäus 10,34) Luther sagte einige Jahre nach Beginn der Reformation: »Gott reißt, treibt und führt mich; ich bin meiner nicht mächtig; ich will stille sein und werde mitten in den Tumult hineingerissen.« (DAGR, V, 2; vgl. EMLB, 430, 20.2.1519) Von jetzt an wurde er in die Auseinandersetzung hineingedrängt.

Die römische Kirche hatte die Gnade Gottes zu einem Handelsgut herabgewürdigt. Die Tische der Geldwechsler (Matthäus 21,12) waren neben ihren Altären aufgestellt und die Luft war erfüllt vom Geschrei der Verkäufer und Käufer. Unter dem Vorwand, für den Bau der Peterskirche in Rom Mittel zu beschaffen, wurde der Ablass für Sünden öffentlich und mit der Autorisierung des Papstes angeboten. Mit Frevelgeld sollte ein Tempel für den Gottesdienst gebaut werden, und der Eckstein wurde mit dem Lösegeld der Bosheit gelegt. Doch gerade diese Geldmittel, die für die Verherrlichung Roms verwendet wurden, versetzten der römischen Macht und Größe den vernichtenden Schlag. Dieses Vorgehen rief den entschiedensten und erfolgreichsten Feind des Papsttums auf den Plan und führte zu einem Kampf, der den päpstlichen Thron erschüttern und die dreifache Krone des Papstes ins Wanken bringen sollte.

GEKAUFTE VERGEBUNG

Johann Tetzel, der römische Gesandte, der mit dem Ablassverkauf in Deutschland beauftragt wurde, war früher wegen gemeinster Vergehen gegen die Menschlichkeit und gegen das Gesetz Gottes verurteilt worden. Doch nachdem er sich der Strafe für seine Verbrechen entzogen hatte, wurde ihm die Förderung des finanziell einträglichen und gewissenlosen Vorhabens des Papsttums übertragen. Mit großer Unverfrorenheit wiederholte er die krassesten Lügen und erzählte einem unwissenden, einfältigen und abergläubischen Volk Wundergeschichten. Hätte es das Wort Gottes gekannt, wäre es nicht so betrogen worden. Damit das Volk unter der Kontrolle des Papstes blieb und die ehrgeizigen Führer ihre Macht und ihren Reichtum vergrößern konnten, wurde ihm die Bibel vorenthalten (siehe GCEH, 4, I, § 5).

Wenn Tetzel eine Stadt betrat, ging ein Bote vor ihm her und verkündigte: »Die Gnade Gottes und des heiligen Vaters ist vor den Toren.« (DAGR, III, 1) Das Volk hieß den gotteslästerlichen Betrüger willkommen, und »man hätte nicht wohl Gott selber schöner empfangen und halten können«, wäre er vom Himmel herabgekommen. (DAGR, III, 1; vgl. DML, 102) Der schändliche Handel wickelte sich in der Kirche ab. Tetzel stieg auf die Kanzel und bot die Ablassbriefe als die kostbarste Gabe Gottes zum Kauf an. Er erklärte dem Käufer, dass durch seine Ablassbriefe alle Sünden, »auch noch so ungeheuerliche, welche der Mensch erst in der Zukunft begehen möchte«, verziehen würden. »Es wäre nicht Not, Reue noch Leid oder Buße für die Sünde zu haben.« Darüber hinaus versicherte er seinen Zuhörern, dass der Ablass nicht nur die Macht hätte, die Lebendigen, sondern auch die Toten zu erlösen. Von dem Augenblick an, wo das Geld im Kasten klingt, würde die Seele aus dem Fegefeuer in den Himmel gehen (siehe HHR, I, 96; vgl. LEA, XXVI, 69 ff.).

Als Simon der Magier den Aposteln die Macht abkaufen wollte, Wunder zu wirken, antwortete ihm Petrus: »Dass du verdammt werdest mitsamt deinem Geld, weil du meinst, Gottes Gabe werde durch Geld erlangt.« (Apostelgeschichte 8,20) Aber bei Tetzels Angebot griffen Tausende zu. Gold und Silber flossen in seine Schatztruhe. Eine Erlösung, die für Geld zu haben war, konnte leichter erlangt werden, als eine, die Reue, Glaube und fleißigen Einsatz forderte. Nur so jedoch kann der Sünde Widerstand geleistet und sie überwunden werden.

Viele gelehrte und gottergebene Männer der römischen Kirche hatten der Ablasslehre schon widersprochen, und viele glaubten den Behauptungen nicht, die jeder Vernunft und der göttlichen Offenbarung so sehr widersprachen. Kein Geistlicher wagte es, seine Stimme gegen diesen schändlichen Handel zu erheben. Die Menschen jedoch wurden verwirrt und unruhig. Viele fragten sich ernsthaft, ob Gott seine Kirche nicht durch irgendein Werkzeug reinigen könnte.

Obwohl Luther noch immer ein sehr eifriger Anhänger des Papstes war, entsetzten ihn doch die frevlerischen Anmaßungen der Ablasskrämer. Viele aus seiner eigenen Gemeinde hatten solche Ablassbriefe gekauft und kamen nun mit ihnen zu ihrem Pastor. Sie beichteten ihm ihre verschiedenen Sünden und erwarteten Absolution, nicht weil sie bereuten und sich bessern wollten, sondern aufgrund des Ablasses. Luther verweigerte ihnen die Absolution und warnte sie, dass sie in ihren Sünden enden würden, falls sie sie nicht bereuten und ihr Leben änderten. In großer Bestürzung eilten die Abgewiesenen zu Tetzel und beklagten sich, dass ihr Beichtvater die Zertifikate nicht anerkenne, und einige verlangten mutig ihr Geld zurück. Der Mönch wurde zornig und sprach die schlimmsten Verwünschungen aus. Er ließ auf öffentlichen Plätzen Feuer anzünden und erklärte, dass er »vom Papste Befehl hätte, die Ketzer, die sich wider den Allerheiligsten, den Papst und seinen allerheiligsten Ablass, legten, zu verbrennen« (DAGR, III, 1; vgl. WLS, XV, 471).

DER THESENANSCHLAG

Luther begann nun mutig sein Werk als Kämpfer für die Wahrheit. Von der Kanzel herab verkündete er seine ernsten Warnungen. Er zeigte dem Volk den abscheulichen Charakter der Sünde und machte deutlich, dass es dem Menschen unmöglich sei, seine Schuld durch eigene Werke zu verringern oder der Strafe zu entgehen. Nur Reue vor Gott und Glaube an Christus könnten den Sünder retten. Die Gnade Christi könne nicht gekauft werden, denn sie sei ein freies Geschenk. Er riet dem Volk, keine Ablässe mehr zu kaufen, sondern im Glauben auf den gekreuzigten Erlöser zu schauen. Er berichtete über seine eigene schmerzliche Erfahrung, als er vergeblich versucht hatte, durch Demütigung und Buße Erlösung zu erreichen, und versicherte seinen Zuhörern, dass sie erst Friede und Freude finden würden, wenn sie von sich weg auf Christus schauten.

Tetzel führte seinen Handel fort und erhob weiterhin seine verwerflichen Ansprüche. Da entschloss sich Luther, diesen himmelschreienden Missbräuchen wirksamer zu widerstehen. Bald schon bot sich ihm dazu eine Gelegenheit. Die Schlosskirche zu Wittenberg besaß viele Reliquien, die an bestimmten Festtagen für das Volk ausgestellt wurden. Allen, die an diesen Tagen die Kirche besuchten und zur Beichte kamen, wurde ein vollständiger Sündenerlass versprochen. Daher kamen zu solchen Zeiten viele Menschen dorthin. Ein ganz besonderer Anlass dieser Art war das nahe bevorstehende Fest Allerheiligen. Am Tag zuvor schloss sich Luther der Menschenmenge an, die auf dem Weg zur Kirche war, und schlug ein Plakat mit 95 Thesen gegen die Ablasslehre an die Kirchentür. Er erklärte sich bereit, diese Thesen am folgenden Tag in der Universität gegen all jene zu verteidigen, die den Mut hätten, ihnen zu widersprechen.

Seine Thesen zogen die allgemeine Aufmerksamkeit auf sich. Sie wurden wieder und wieder gelesen und überall verbreitet. An der Universität und in der ganzen Stadt entstand eine große Aufregung. Diese Thesen machten deutlich, dass die Vollmacht zur Vergebung von Sünden und zum Erlass von Sündenstrafen niemals dem Papst oder einem anderen Menschen übergeben worden war. Das ganze System sei ein Hohn, eine Masche der Kirche, die aus dem Aberglauben des Volkes finanziellen Gewinn schlug; eine Einrichtung Satans um die Seelen all jener zu verderben, die seinen lügenhaften Ansprüchen Glauben schenkten. Es wurde auch deutlich gezeigt, dass das Evangelium von Christus der kostbarste Schatz der Kirche ist. Darin offenbart sich die Gnade Gottes, die allen Menschen, die sie in Reue und im Glauben suchen, frei geschenkt wird.

Luthers Thesen forderten zur Diskussion heraus, aber niemand wagte es, die Herausforderung anzunehmen. In wenigen Tagen waren die gestellten Fragen in ganz Deutschland bekannt, und in wenigen Wochen erschollen sie durch die ganze Christenheit. Viele gläubige Katholiken, die die schreckliche Ungerechtigkeit in ihrer Kirche sahen und beklagten, jedoch nicht wussten, wie ihr zu begegnen sei, lasen die Lehrsätze mit großer Freude. Sie erkannten darin die Stimme Gottes und fühlten, dass er seine Hand gnädig ausstreckte, um die anschwellende Flut des Verderbens aufzuhalten, die vom römischen Stuhl ausging. Fürsten und Beamte freuten sich insgeheim, dass einer überheblichen Macht, die keine Einwände gegen ihre Beschlüsse erlaubte, so immer mehr ein Riegel vorgeschoben wurde.

DIE FOLGEN DER MUTIGEN TAT

Aber die abergläubische Menge, die ihr sündhaftes Leben liebte, war entsetzt, als die Spitzfindigkeiten hinweggefegt wurden, die ihre Ängste besänftigt hatten. Durchtriebene Geistliche, die das Verbrechen gebilligt hatten, wurden aufgeschreckt und mussten um ihren Gewinn fürchten. Sie wurden wütend und schlossen sich zusammen, um ihre Ansprüche zu verteidigen. Der Reformator musste sich mit erbitterten Anklägern auseinandersetzen. Einige beschuldigten ihn, übereilt und impulsiv gehandelt zu haben. Andere warfen ihm Vermessenheit vor und erklärten, er werde nicht von Gott geführt, sondern handle aus Stolz und Dreistigkeit. »Wer kann eine neue Idee vorbringen«, antwortete Luther, »ohne einen Anschein von Hochmut, ohne Beschuldigung der Streitlust? Weshalb sind Christus und alle Märtyrer getötet worden? Weil sie stolze Verächter der Wahrheit ihrer Zeit zu sein schienen und neue Ansichten aussprachen, ohne die Vertreter der alten Meinung demütig um Rat zu fragen.«

Und er erklärte weiter: »Ich will nicht, dass nach Menschen Rat, sondern nach Gottes Rat geschehe, was ich tue; ist das Werk von Gott, wer möcht's hindern, ist's nicht aus Gott, wer möcht's fördern? Es geschehe nicht mein, noch ihr, noch euer, sondern Dein Wille, heiliger Vater im Himmel!« (DAGR, III, 6; vgl. EMLB, I, 126, an Lang, 11.10.1517)

Obwohl Luther durch den Geist Gottes dazu bewegt worden war, sein Werk zu beginnen, sollte er es nicht ohne schwere Kämpfe weiterführen. Die Vorwürfe seiner Feinde, die Missdeutungen seiner Argumente und ihre ungerechten und boshaften Bemerkungen über seinen Charakter und seine Beweggründe ergossen sich wie eine Flut über ihn und blieben nicht ohne Wirkung. Er war zuversichtlich, dass sich ihm die Führer des Volkes in der Kirche sowie in den Schulen freudig anschließen und seine Reform unterstützen würden. Ermutigende Worte von hochgestellten Persönlichkeiten hatten ihm Freude und Hoffnung geschenkt. Im Geist hatte er für die Kirche schon einen neuen Tag anbrechen sehen. Doch die Ermutigung schlug in Vorwürfe und Verurteilungen um. Viele kirchliche und staatliche Würdenträger waren von der Wahrheit seiner Thesen überzeugt. Aber bald sahen sie, dass die Annahme dieser Wahrheiten große Umwälzungen zur Folge haben würde. Das Volk zu erleuchten und zu reformieren hieße ganz offensichtlich, die Autorität Roms zu untergraben, auf Unsummen von Geld, das in ihre Schatzkammern floss, zu verzichten und damit die Extravaganzen und den Luxus der päpstlichen Führer zu unterbinden. Weiterhin bedeutete es, das Volk zu selbstständigem Denken und Handeln zu erziehen und für die Erlösung nur auf Christus zu blicken. Das wiederum würde bedeuten, den Thron des Pontifex zu stürzen und am Ende sogar die eigene Autorität zu untergraben. Aus diesem Grund wiesen sie die Erkenntnis, die Gott ihnen anbot, zurück. Indem sie dem

Mann widerstanden, den Gott ihnen zu ihrer Erleuchtung gesandt hatte, stellten sie sich gegen Christus und die Wahrheit.

Luther zitterte, als er auf sich schaute: Allein stand er den größten Mächten der Welt gegenüber. Manchmal zweifelte er, ob ihn Gott wirklich in seinem Widerstand gegen die Autorität der Kirche leitete. »Wer war ich«, schrieb er, »der sich sollte wider des Papstes Majestät setzen, vor welcher die Könige auf Erden und der ganze Erdboden sich entsetzten ...? Was mein Herz in jenen zwei Jahren ausgestanden und erlitten hat und in welcherlei Demut, ja Verzweiflung ich da schwebte, ach! Davon wissen die sichern Geister wenig, die hernach des Papstes Majestät mit großem Stolz und Vermessenheit angriffen« (DAGR, III, 9; vgl. SCL, I, 119 ff.). Doch er wurde nicht gänzlich der Verzweiflung überlassen. Als menschliche Unterstützung fehlte, schaute er auf Gott allein und lernte, dass man sich vollkommen auf dessen allmächtigen Arm verlassen kann.

ARGUMENTATION MIT DER HEILIGEN SCHRIFT

Einem Freund der Reformation schrieb Luther: »Es ist vor allem gewiss, dass man die Heilige Schrift weder durch Studium noch mit dem Verstand erfassen kann. Deshalb ist es zuerst Pflicht, dass du mit dem Gebet beginnst und den Herrn bittest, er möge dir zu seiner Ehre, nicht zu deiner, in seiner großen Barmherzigkeit das wahre Verständnis seiner Worte schenken. Das Wort Gottes wird uns von seinem Urheber ausgelegt, wie er selbst sagt, alle werden sie von Gott gelehrt. Hoffe deshalb nichts von deinem Studium und Verstand, vertraue allein auf den Einfluss des Geistes. Glaube meiner Erfahrung.« (DAGR, III, 7; vgl. EMLB, I, 142, 18.01.1518) Diese Lehre ist von entscheidender Bedeutung für alle, die sich von Gott berufen fühlen, anderen die ernsten Wahrheiten für die heutige Zeit zu verkündigen. Diese Wahrheit ruft die Feindschaft Satans und derer auf den Plan, die seine Fabeln lieben. Bei der Auseinandersetzung mit den Mächten des Bösen ist mehr nötig als Verstandeskraft und menschliche Weisheit.

Wenn sich die Feinde auf Gebräuche und Traditionen, auf päpstliche Erklärungen oder auf die Autorität des Papstes beriefen, trat Luther ihnen mit der Bibel – ja allein mit der Bibel – entgegen. Diese Argumente konnten sie nicht widerlegen, deshalb schrien diese Sklaven des Formalismus und des Aberglaubens nach seinem Blut, wie seinerzeit die Juden nach dem Blut Christi. »Er ist ein Ketzer!«, riefen die Eiferer Roms. »Es ist Hochverrat gegen die Kirche, wenn ein so schändlicher Ketzer noch eine Stunde länger lebt. Auf den Scheiterhaufen mit ihm!« (DAGR, III, 9; vgl. SCL, 104) Aber Luther fiel ihrer Wut nicht zum Opfer. Nach dem Willen Gottes hatte er ein Werk auszuführen und himmlische Engel wurden zu seinem Schutz geschickt. Viele jedoch, die von Luther das kostbare Licht empfangen hatten, setzten sich der Wut Satans aus und erlitten um der Wahrheit willen furchtlos Folter und Tod.

Luthers Lehren zogen die Aufmerksamkeit denkender Geister in ganz Deutschland auf sich. Seine Predigten und Schriften verbreiteten Lichtstrahlen, die Tausende erweckten und erleuchteten. Ein lebendiger Glaube trat an die Stelle eines toten Formalismus, der so lange in der Kirche vorgeherrscht hatte. Die Leute verloren mehr und mehr das Vertrauen in die abergläubischen Lehren Roms. Die Schranken des Vorurteils gaben langsam nach. Das Wort Gottes, wodurch Luther jede Lehre und jede Behauptung prüfte, war wie ein zweischneidiges Schwert, das sich seinen Weg in die Herzen der Menschen bahnte. Überall erwachte ein Verlangen nach geistlichem Wachstum. Überall gab es einen solchen Hunger und Durst nach Gerechtigkeit, wie man ihn seit Jahrhunderten nicht mehr gekannt hatte. Die Blicke der Menschen, die so lange auf menschliche Riten und irdische Mittler gerichtet waren, wandten sich jetzt reuevoll und im Glauben Christus, dem Gekreuzigten, zu.

PÄPSTLICHE VORLADUNG

Das weit verbreitete Interesse an Luthers Lehren erhöhte die Ängste der päpstlichen Behörden. Luther wurde nach Rom vorgeladen, um sich gegen die Anklage der Ketzerei zu verantworten. Die Aufforderung erfüllte seine Freunde mit Schrecken. Sie kannten die Gefahr nur zu gut, die ihm in dieser verworfenen Stadt drohte, die vom Blut der Märtyrer, der Zeugen Jesu schon berauscht war. Sie erhoben Einspruch gegen diese Reise nach Rom und baten darum, dass er in Deutschland verhört werde.

Man konnte sich schließlich einigen und der päpstliche Legat, Kardinal Thomas Cajetan, erhielt den Auftrag, den Fall anzuhören. In den Anweisungen, die der Papst seinem Legaten übermittelt hatte, war aber schon vermerkt, dass Luther zum Ketzer erklärt worden sei. Der römische Gesandte wurde deshalb beauftragt, »ihn zu verfolgen und unverzüglich in Haft zu nehmen«. Für den Fall, dass Luther standhaft bleiben sollte und der Legat seiner nicht habhaft werden konnte, hatte er die Vollmacht, »ihn in ganz Deutschland zu ächten, zu verbannen, zu verfluchen und über all seine Freunde den Bann auszusprechen« (DAGR, IV, 2; vgl. LEA, XXXIII, 354 ff.). Um die Pest dieser Ketzerei auszurotten, befahl der Papst seinem Gesandten zudem, all jene zu exkommunizieren, die es unterließen, Luther und seine Anhänger zu ergreifen und sie der Rache Roms auszuliefern, ohne Rücksicht auf deren Amt in Kirche oder Staat, außer dem Kaiser.

Hier zeigte sich der wahre Geist des Papsttums. Keine Spur von christlichen Grundsätzen, nicht einmal von allgemeinem Gerechtigkeitsempfinden war in diesem Dokument zu finden. Luther hielt sich weit von Rom entfernt auf. Er hatte noch keine Gelegenheit gehabt, seinen Standpunkt zu erklären oder zu verteidigen, und schon bevor man seinen Fall untersucht hatte, war er kurzerhand zum Ketzer abgestempelt worden. Am selben Tag wurde er bedroht, beschuldigt, verurteilt und verdammt, und das alles durch einen selbst ernannten »Heiligen Vater«, die alleinige, höchste und unfehlbare Autorität in Kirche und Staat!

Genau zu dieser Zeit, als Luther die Zuneigung und den Rat eines wahren Freundes benötigte, sandte ihm Gott in seiner Vorsehung Philipp Melanchthon nach Wittenberg. Jung an Jahren, bescheiden und zurückhaltend in seinem Benehmen, mit gesundem Urteilsvermögen, umfassendem Wissen und gewinnender Beredsamkeit, zusammen mit einem reinen und aufrichtigen Charakter erwarb er sich allgemeine Bewunderung und Achtung. Seine genialen Talente waren genauso ausgeprägt wie seine Liebenswürdigkeit. Bald wurde er ein eifriger Jünger des Evangeliums und Luthers vertrautester Freund und wertvollster Helfer. Seine Freundlichkeit, seine Vorsicht und Genauigkeit ergänzten den Mut und die Tatkraft Luthers. Ihr gemeinsames Wirken gab der Reformation die erforderliche Kraft und war für den Reformator eine Quelle großer Ermutigung.

Augsburg wurde als Ort des Verhörs bestimmt, und Luther machte sich zu Fuß auf den Weg in diese Stadt. Man hegte seinetwegen ernste Befürchtungen. Es gab Drohungen, dass er auf dem Weg aufgegriffen und ermordet werden sollte. Deshalb rieten ihm seine Freunde, sich dieser Gefahr nicht auszusetzen. Ja, sie baten ihn sogar flehentlich, Wittenberg eine Zeit lang zu verlassen und sich denen anzuvertrauen, die ihn bereitwillig beschützen würden. Er wollte aber die Stellung nicht verlassen, die Gott ihm anvertraut hatte. Ungeachtet der Stürme, die auf ihn hereinbrechen würden, musste er weiterhin getreulich die Wahrheit verteidigen. Er sagte sich: »Ich bin mit Jeremia gänzlich der Mann des Haders und der Zwietracht ... je mehr sie drohen, desto freudiger bin ich ... mein Name und Ehre muss auch jetzt gut herhalten; also ist mein schwacher und elender Körper noch übrig, wollen sie den hinnehmen, so werden sie mich etwa um ein paar Stunden Leben ärmer machen, aber die Seele werden sie mir doch nicht nehmen. ... Wer Christi Wort in die Welt tragen will, muss mit den Aposteln stündlich gewärtig sein, den Tod zu erleiden.« (DAGR, IV, 4; vgl. EMLB, I, 211 ff., 10.07.1518)

DAS VERHÖR VOR CAJETAN

Die Nachricht von Luthers Ankunft in Augsburg erfüllte den päpstlichen Gesandten mit großer Genugtuung. Der lästige Ketzer, der die Aufmerksamkeit der ganzen Welt auf sich zog, schien nun in der Gewalt Roms zu sein, und der Legat war fest entschlossen, Luther nicht entwischen zu lassen. Der Reformator versäumte es, ein freies Geleit zu beantragen. Seine Freunde bedrängten ihn, nicht ohne ein solches vor Cajetan zu erscheinen, und sie selbst nahmen es auf sich, ein solches vom Kaiser zu erbitten. Der Legat suchte nach einer Möglichkeit, Luther zum Widerruf zu zwingen. Sollte ihm dies nicht gelingen, wollte er ihn nach Rom bringen, wo er das Schicksal von Hus und Hieronymus teilen sollte. Deshalb bemühte sich Cajetan über seine Repräsentanten, Luther dazu zu bewegen, auf die Sicherheit eines freien Geleits zu verzichten und sich ganz seiner Gunst anzuvertrauen. Der Reformator lehnte dies jedoch strikt ab und erschien erst vor dem päpstlichen Gesandten, als er den Brief, der ihm den kaiserlichen Schutz garantierte, in seinen Händen hatte.

Die Gesandten Roms verfolgten die Strategie, Luther durch angebliches Wohlwollen für sich zu gewinnen. In seinen Aussprachen gab sich der Legat sehr zuvorkommend, doch er verlangte von Luther, sich bedingungslos der kirchlichen Autorität zu unterwerfen und in jedem Punkt ohne Diskussion oder Frage nachzugeben. Der Kardinal hatte aber den Charakter des Mannes, mit dem er sich befassen musste, nicht richtig eingeschätzt. In seiner Antwort drückte Luther seine Achtung vor der Kirche, sein Verlangen nach der Wahrheit und seine Bereitschaft aus, alle Einwände gegen seine Lehre zu beantworten und diese der Entscheidung bestimmter führender Universitäten zu unterbreiten. Gleichzeitig protestierte er gegen die Verfahrensweise des Kardinals, der von ihm einen Widerruf verlangte, ohne ihm seinen Irrtum nachgewiesen zu haben.

Die einzige Antwort war: »Widerrufe, widerrufe!« Der Reformator zeigte auf, dass seine Haltung durch die Heilige Schrift bestätigt sei, und erklärte entschlossen, er könne der Wahrheit nicht abschwören. Cajetan war nicht in der Lage, die Argumente Luthers zu widerlegen. Deshalb überhäufte er ihn mit Vorwürfen, Spott und Schmeicheleien. Dazwischen zitierte er die kirchliche Tradition und die Kirchenväter, sodass Luther gar nicht zu Wort kommen konnte. Luther erkannte, dass die Versammlung auf diese Weise völlig nutzlos verlaufen würde. Nur widerwillig erlaubte man ihm schließlich, seine Verteidigung schriftlich einzureichen.

»Dadurch«, schrieb er an einen Freund, »erhielt der Unterdrückte einen doppelten Gewinn. Erstens kann etwas Geschriebenes der Beurteilung anderer unterbreitet werden, und zweitens ist die Möglichkeit größer, auf die Ängste, aber auch auf das Gewissen eines geschwätzigen Despoten einzuwirken, der ihn sonst mit seinem stets befehlshaberischen Ton gar nicht zu Wort kommen ließe.« (MLTL, 271.272; vgl. LEA, XVII, 209 / LIII, 3 ff.)

Bei der nächsten Unterredung legte Luther eine klare, gedrängte und aufrichtige Erklärung seiner Ansichten vor, die er durch viele Schriftstellen begründete. Dieses Papier las er dem Kardinal laut vor und händigte es ihm danach aus. Dieser schob es jedoch verächtlich zur Seite und bezeichnete es als eine Ansammlung unnützer Worte und bedeutungsloser Zitate. Luther, dem nun die Augen aufgingen, begegnete dem hochmütigen Prälaten auf seinem eigenen Feld, den Überlieferungen und Lehren der Kirche, und widerlegte seine Auffassungen vollständig.

Als der Prälat sah, dass Luthers Gründe unwiderlegbar waren, verlor er seine Selbstbeherrschung und rief zornig: »Widerrufe! Oder ich werde dich nach Rom vor die Richter schicken, die für diesen Fall zuständig sind. Ich werde dich und all deine Anhänger sowie alle, die dich unterstützen, exkommunizieren und sie aus der Kirche werfen.« Schließlich erklärte er in überheblichem und ärgerlichem Ton: »Widerrufe oder komm mir nicht wieder vor die Augen.« (DAGR, IV, 8; vgl. LEA, LXIV, 361-365 / LXII, 71 ff.)

Der Reformator zog sich sofort mit seinen Freunden zurück und gab deutlich zu verstehen, dass man von ihm keinen Widerruf erwarten könne. Dies entsprach keineswegs der Absicht des Kardinals. Er hatte sich eingebildet, er könne Luther einschüchtern und ihn so zur Unterwerfung zwingen. Cajetans Pläne waren unerwartet gescheitert. Allein gelassen mit seinen Helfern blickte er höchst verärgert von einem zum andern.

DIE MACHT DES WORTES

Luthers Bemühungen bei diesem Anlass hatten durchaus positive Folgen. Die große Versammlung hatte Gelegenheit, die beiden Männer zu vergleichen und sich über deren Geist wie auch die Stärken und Schwächen der jeweiligen Standpunkte selbst ein Urteil zu bilden. Welch ein Kontrast war das! Der Reformator, einfach und bescheiden, aber entschieden, stand in der Kraft Gottes dort und hatte die Wahrheit auf seiner Seite. Der Vertreter des Papstes war selbstgefällig, anmaßend, hochmütig und unverschämt und ohne einen einzigen Beweis aus der Heiligen Schrift, und doch schrie er ungestüm: »Widerrufe, oder du wirst zur Bestrafung nach Rom gesandt.«

Ungeachtet des freien Geleits planten die Vertreter Roms, Luther zu ergreifen und einzukerkern. Da es zwecklos war, den Aufenthalt zu verlängern, bedrängten die Freunde Luther, unverzüglich nach Wittenberg zurückzukehren und beschworen ihn, äußerste Vorsicht walten zu lassen, um sein Vorhaben zu verheimlichen. Er verließ daher Augsburg vor Tagesanbruch zu Pferd und wurde nur von einem Reiseführer begleitet, den ihm die Stadtbehörde zur Verfügung gestellt hatte. Unter düsteren Vorahnungen machte er sich heimlich auf den Weg durch die dunklen und stillen Straßen der Stadt. Wachsame und grausame Feinde planten seinen Untergang. Würde er den gestellten Fallen entkommen? Dies waren Momente der Furcht und des ernsten Gebets. Er erreichte ein kleines Tor in der Stadtmauer. Man öffnete ihm und ließ ihn mit seinem Führer ungehindert hindurch. Als die Flüchtenden außerhalb der Stadt waren, beschleunigten sie ihren Ritt. Ehe der Legat erfuhr, dass Luther abgereist war, befand sich dieser außer Reichweite seiner Verfolger. Satan und seine Helfer waren überlistet. Der Mann, den sie in ihrer Gewalt glaubten, war wie ein Vogel den Schlingen seines Fängers entkommen.

Der päpstliche Legat war überwältigt, bestürzt und ärgerlich, als er von Luthers Flucht erfuhr. Er hatte gehofft, für seine Klugheit und Entschiedenheit beim Vorgehen gegen diesen Unruhestifter große Ehre zu erhalten. Nun wurde seine Hoffnung enttäuscht. In einem Brief an

Friedrich den Weisen, den Kurfürsten von Sachsen, drückte er seinen bitteren Zorn aus, indem er Luther heftig beschuldigte und von dem Monarchen verlangte, dass dieser den Reformator nach Rom sende oder ihn aus Sachsen verbanne.

Bei seiner Verteidigung verlangte Luther vom Legaten oder vom Papst, dass sie ihm seine Irrtümer anhand der Bibel beweisen sollten, und gelobte in feierlichster Weise, seine Lehren zu widerrufen, falls nachgewiesen werde, dass sie dem Wort Gottes widersprachen. Er dankte Gott, ihn für würdig befunden zu haben, für eine so heilige Sache zu leiden.

Der Kurfürst wusste bis dahin nur wenig von den Lehren der Reformation, aber er war zutiefst beeindruckt von der Aufrichtigkeit, Kraft und Klarheit der Worte Luthers. Friedrich beschloss, Luther so lange zu schützen, bis der Reformator des Irrtums überführt werden würde. Als Erwiderung auf die Forderung des Legaten schrieb er: »›Weil der Doktor Martinus vor euch zu Augsburg erschienen ist, so könnt ihr zufrieden sein. Wir haben nicht erwartet, dass ihr ihn, ohne ihn widerlegt zu haben, zum Widerruf zwingen wollt. Kein Gelehrter in unserem Fürstentum hat behauptet, dass die Lehre Martins gottlos, antichristlich oder ketzerisch sei.‹ Der Fürst weigerte sich weiterhin, Luther nach Rom zu schicken oder ihn aus seinem Lande zu vertreiben.« (DAGR, IV, 10; vgl. LEA, XXXIII, 409 ff.)

Der Kurfürst erkannte, dass die sittlichen Schranken der Gesellschaft allgemein zusammenbrachen. Eine große Erneuerung war nötig. All die aufwändigen und kostspieligen Einrichtungen, um Verbrechen einzudämmen und zu bestrafen, wären unnötig, wenn die Menschen den Vorschriften Gottes und der Stimme eines erleuchteten Gewissens gehorchten. Er sah, dass Luther daran arbeitete, dieses Ziel zu erreichen, und freute sich heimlich, dass in der Kirche ein besserer Einfluss spürbar wurde.

Er sah auch, dass Luther als Professor an der Universität sehr erfolgreich war. Erst vor einem Jahr hatte der Reformator seine Thesen an die Schlosskirche geschlagen, und bereits war die Zahl der Pilger, die aus Anlass von Allerheiligen die Kirche besuchte, sehr viel geringer geworden. Rom musste auf Gottesdienstbesucher und Opfergaben verzichten. Nun kam eine andere Gruppe nach Wittenberg, keine Pilger, die Reliquien verehrten, sondern Studenten, welche die Hörsäle füllten. Luthers Schriften hatten überall ein neues Interesse an der Heiligen Schrift geweckt. Nicht nur aus ganz Deutschland, auch aus anderen Ländern strömten Studenten zur Universität. Junge Männer, die zum ersten Mal nach Wittenberg kamen, »erhoben die Hände gen Himmel, lobten Gott, dass er wie einst in Zion das Licht der Wahrheit« von dieser Stadt aus »leuchten lasse und es in die fernsten Lande schicke« (DAGR, IV, 10).

Luther war bis jetzt erst teilweise von den Irrtümern Roms bekehrt. Er schrieb: »Ich sah damals noch sehr wenige Irrtümer des Papstes.« (LEA, LXII, 73) Doch als er Gottes Wort mit den päpstlichen Erlassen und Konstitutionen verglich, schrieb er voll Erstaunen: »Ich gehe die Dekrete der Päpste für meine Disputation durch und bin – ich sage dir's ins Ohr – ungewiss, ob der Papst der Antichrist selbst ist oder ein Apostel des Antichrist; elendiglich wird Christus, d. h. die Wahrheit von ihm, in den Dekreten gekreuzigt.« (DAGR, V, 1; vgl. EMLB, I, 450, 13.3. 1519) Noch aber war Luther ein Anhänger der römischen Kirche, und er dachte nicht daran, die Verbindung mit ihr zu lösen.

AUF DEN SPUREN DER HUSSITEN

Die Schriften Luthers und seine Lehren wurden in der ganzen Christenheit bekannt gemacht. Das Werk breitete sich bis in die Schweiz und nach Holland aus. Exemplare seiner Schriften fanden ihren Weg nach Frankreich und Spanien. In England wurden seine Lehren als Worte des Lebens empfangen. Die Wahrheit kam auch nach Belgien und Italien. Tausende erwachten aus ihrer Lethargie zu einem freudigen und hoffnungsvollen Glaubensleben.

Rom wurde immer ungehaltener über die Angriffe Luthers. Einige seiner fanatischen Widersacher, sogar Doktoren an katholischen Universitäten, erklärten, dass jemand, der diesen aufrührerischen Mönch ermorde, ohne Sünde wäre. Eines Tages näherte sich dem Reformator ein Fremder, der eine Pistole unter dem Mantel verborgen hatte, und fragte ihn, warum er so allein gehe. »Ich stehe in Gottes Hand«, antwortete Luther, »er ist meine Kraft und mein Schild. Was kann mir ein Mensch tun?« (DAGR, VI, 2; vgl. LEA, LXIV, 365 ff.) Als der Fremde diese Worte hörte, wurde er blass und floh vor der Gegenwart himmlischer Engel.

Rom war zur Vernichtung Luthers entschlossen, aber Gott blieb sein Schutz. Seine Lehren drangen überall hin, »in Hütten und Klöster, in Ritterburgen, in Akademien und königliche Paläste«, und edle und aufrichtige Männer erhoben sich überall, um seine Bemühungen zu unterstützen (DAGR, VI, 2).

Um diese Zeit las Luther die Werke von Jan Hus und erkannte, dass bereits der böhmische Reformator die große Wahrheit der Rechtfertigung durch den Glauben genauso hochgehalten hatte wie er: »Wir sind alle«, schrieb Luther, »Paulus, Augustin und ich selbst Hussiten gewesen, ohne es zu wissen! … Gott wird sicherlich die Welt heimsuchen«, setzte er fort, »weil die Wahrheit vor einem Jahrhundert gepredigt und verbrannt wurde!« (WHP, VI, 1)

In seinem Sendbrief »An den christlichen Adel deutscher Nation: Von des christlichen Standes Besserung« schrieb Luther über den Papst: »Es ist gräulich und erschrecklich anzusehen, dass der Oberste in der Christenheit, der sich Christi Statthalter und Petri Nachfolger zu sein rühmt, so weltlich und prächtig fährt, dass ihn darin kein König, kein Kaiser mag erlangen und gleich werden. … Gleicht sich das mit dem armen Christus und St. Peter, so ist's ein neues Gleichen. … Sie sprechen, er sei ein Herr der Welt; das ist erlogen, denn Christus, des Statthalter und Amtmann er sich rühmet zu sein, sprach vor Pilatus: Mein Reich ist nicht von dieser Welt. Es kann doch kein Statthalter weiter regieren denn sein Herr.« (DAGR, VI, 3, 77/81; vgl. LAW, II)

Über die Universitäten schrieb er: »Ich habe große Sorge, die hohen Schulen seien große Pforten der Hölle, so sie nicht emsig die Heilige Schrift üben und treiben ins junge Volk. … Wo aber die Heilige Schrift nicht regiert, da rate ich fürwahr niemand, dass er sein Kind hintue. Es muss verderben alles, was nicht Gottes Wort ohne Unterlass treibt.« (DAGR, VI, 3, 77.81)

Dieser Aufruf verbreitete sich in Windeseile über ganz Deutschland und übte einen mächtigen Einfluss auf das Volk aus. In der ganzen Nation gärte es, und massenweise erwachten Leute und scharten sich um das Banner der Reformation. Luthers Widersacher brannten vor Rache und drangen auf den Papst ein, er möge doch entschiedene Maßnahmen gegen ihn ergreifen. Es wurde verfügt, dass Luthers Lehren unverzüglich geächtet werden sollten. Sechzig Tage wurden dem Reformator und seinen Anhängern gewährt. Wenn sie nach dieser Zeit nicht widerriefen, würden sie alle exkommuniziert.

TRENNUNG VON ROM

Das war eine schreckliche Krise für die Reformation. Jahrhundertelang hatte Rom durch Verhängung des Kirchenbanns mächtigen Monarchen Furcht eingeflößt. Gewaltige Reiche litten unter Elend und Verwüstung. Allen, die von Rom unter den Bann gestellt wurden, begegnete man durchwegs mit Angst und Schrecken. Sie wurden aus der Gemeinschaft ihrer Gefährten verstoßen und als Geächtete behandelt, die bis zur Vernichtung gejagt werden sollten. Luther war nicht blind gegen den Sturm, der nun über ihn hereinbrechen sollte, aber er blieb standfest und vertraute auf Christus, seinen Schutz und Schild. Mit dem Glauben und dem Mut eines Märtyrers schrieb er: »Wie soll es werden? Ich bin blind für die Zukunft und nicht darum besorgt, sie zu wissen. ... Wohin der Schlag fällt, wird mich ruhig lassen. ... Kein Baumblatt fällt auf die Erde ohne den Willen des Vaters, wie viel weniger wir. ... Es ist ein Geringes, dass wir um des Wortes willen sterben oder umkommen, da er selbst im Fleisch erst für uns gestorben ist. Also werden wir mit demselben aufstehen, mit welchem wir umkommen, und mit ihm durchgehen, wo er zuerst durchgegangen ist, dass wir endlich dahin kommen, wohin er auch gekommen ist, und bei ihm bleiben ewiglich.« (DAGR, VI, 1, 113; vgl. EMLB, II, 484/485, 1.10.1520)

Als die päpstliche Bulle eintraf, sagte Luther: »Ich verlache sie nur und greife sie jetzt als gottlos und lügenhaft ganz eckianisch an. Ihr sehet, dass Christus selbst darin verdammt werde. … Ich freue mich aber doch recht herzlich, dass mir um der besten Sache willen Böses widerfahre. … Ich bin nun viel freier, nachdem ich gewiss weiß, dass der Papst als der Antichrist und des Satans Stuhl offenbarlich erfunden sei.« (DAGR, VI, 9; vgl. EMLB, II, 491, 12.10.1520)

Doch der Erlass aus Rom blieb nicht ohne Wirkung. Gefängnis, Folter und Schwert waren mächtige Waffen, um Gehorsam zu erzwingen. Die Schwachen und Abergläubischen zitterten vor dem Erlass des Papstes. Während man allgemein viel Sympathie für Luther bekundete, hielten manche ihr Leben für zu kostbar, um es für die Reformation aufs Spiel zu setzen. Alles schien darauf hinzudeuten, dass das Werk des Reformators scheitern würde.

Doch Luther war immer noch furchtlos. Rom hatte seine Bannflüche gegen ihn geschleudert, die Welt schaute zu, und niemand zweifelte, dass es mit ihm nun zu Ende sein würde, es sei denn, er schwöre ab. Aber mit ungeheurer Macht schleuderte er das Verdammungsurteil auf seinen Urheber zurück und erklärte öffentlich, dass er mit Rom für immer gebrochen habe. In Gegenwart einer Anzahl Studenten, Gelehrter und Bürger jeden Standes verbrannte er die päpstliche Bulle, zusammen mit den kanonischen Gesetzen sowie den Dekretalen und bestimmten Schriftstücken seiner Gegner, die das Papsttum unterstützten. »Meine Feinde sind in der Lage gewesen«, sagte er, »durch das Verbrennen meiner Bücher der Sache des Glaubens im Denken des allgemeinen Volks zu schaden und ihre Seelen zu vernichten. Aus diesem Grunde habe ich daraufhin ihre Bücher verbrannt. Ein schwerer Kampf hat gerade angefangen. Bisher habe ich nur mit dem Papst gespielt. Ich habe dieses Werk in Gottes Namen angefangen, es wird durch seine Macht ohne mich beendet werden.« (DAGR, VI, 10; vgl. LEA, XXIV, 155 u. 164)

Auf die Vorwürfe seiner Feinde, die wegen der Schwäche seiner Sache stichelten, erwiderte Luther: »Wer weiß, ob mich Gott dazu berufen und erweckt hat und ihnen zu fürchten ist, dass sie nicht Gott in mir verachten. … Mose war allein im Ausgang von Ägypten, Elia allein zu König Ahabs Zeiten, Elisa auch allein nach ihm; Jesaja war allein in Jerusalem.

... Hesekiel allein zu Babylon. ... Dazu hat er noch nie den obersten Priester oder andere hohe Stände zu Propheten gemacht; sondern gemeiniglich niedrige, verachtete Personen auferweckt, auch zuletzt den Hirten Amos. ... Also haben die lieben Heiligen allezeit wider die Obersten, Könige, Fürsten, Priester, Gelehrten predigen und schelten müssen, den Hals daran wagen und lassen. ... Ich sage nicht, dass ich ein Prophet sei; ich sage aber, dass ihnen so viel mehr zu fürchten ist, ich sei einer, so viel mehr sie mich verachten und sich selbst achten ... So bin ich jedoch gewiss für mich selbst, dass das Wort Gottes bei mir und nicht bei ihnen ist.« (DAGR, VI, 10; vgl. LEA, XXIV, 58/59)

Sein endgültiger Entschluss, sich von der römischen Kirche zu trennen, lief nicht ohne gewaltige innere Kämpfe ab. Etwa um diese Zeit schrieb er: »Ich empfinde täglich bei mir, wie gar schwer es ist, langwährige Gewissen, und mit menschlichen Satzungen gefangen, abzulegen. Oh, mit wie viel großer Mühe und Arbeit, auch durch gegründete Heilige Schrift, habe ich mein eigen Gewissen kaum können rechtfertigen, dass ich einer allein wider den Papst habe dürfen auftreten, ihn für den Antichrist halten. ... Wie oft hat mein Herz gezappelt, mich gestraft und mir vorgeworfen ihr einig stärkstes Argument: Du bist allein klug? Sollten die andern alle irren und so eine lange Zeit geirrt haben? Wie, wenn du irrest und so viele Leute in den Irrtum verführest, welche alle ewiglich verdammt würden? Bis so lang, dass mich Christus mit seinem einigen gewissen Wort befestigt und bestätigt hat, dass mein Herz nicht mehr zappelt.« (MLTL, 372.373; vgl. LEA, LIII, 93/94)

EXKOMMUNIKATION

Der Papst hatte Luther mit Exkommunikation gedroht, falls er nicht widerrufen sollte, und diese Drohung wurde jetzt wahr gemacht. Eine neue Bulle wurde veröffentlicht, die eine endgültige Trennung Luthers von der römischen Kirche verkündigte, ihn vom Himmel für verflucht erklärte und alle in denselben Fluch einschloss, die seine Lehren annahmen. Die große Auseinandersetzung hatte nun mit voller Wucht begonnen.

Alle, die Gott benützt, um Wahrheiten zu verkünden, die für ihre Zeit besonders wichtig sind, müssen mit Widerstand rechnen. In den Tagen Luthers gab es eine gegenwärtige Wahrheit, die von besonderer Bedeutung war. Gott, der alle Dinge nach dem Rat seines Willens ausführt, hat es gefallen, Menschen in unterschiedliche Lebenslagen zu bringen. Er teilt ihnen dort Aufgaben zu, die der Zeit und den Umständen entsprechen, in denen sie leben. Wenn sie das Licht beachteten, das ihnen verliehen wird, würden Sie die Wahrheit noch besser verstehen lernen. Aber heute ist die Wahrheit von den meisten Leuten genauso wenig erwünscht, wie von den Anhängern des Papsttums, die Luther widerstanden. Es besteht heute wie in früheren Jahrhunderten dieselbe Bereitschaft, an Stelle von Gottes Wort, Theorien und Traditionen von Menschen anzunehmen. Wer Wahrheit für die heutige Zeit verkündigt, darf keine günstigere Aufnahme erwarten, als dies zur Zeit der Reformatoren der Fall war. Der große Kampf zwischen Wahrheit und Irrtum, zwischen Christus und Satan wird bis zum Abschluss der Geschichte der Welt an Heftigkeit zunehmen.

Jesus sagte zu seinen Jüngern: »Wäret ihr von der Welt, so hätte die Welt das Ihre lieb. Weil ihr aber nicht von der Welt seid, sondern ich euch aus der Welt erwählt habe, darum hasst euch die Welt. Gedenkt an das Wort, das ich euch gesagt habe: Der Knecht ist nicht größer als sein Herr. Haben sie mich verfolgt, so werden sie euch auch verfolgen; haben sie mein Wort gehalten, so werden sie eures auch halten.« (Johannes 15,19.20) Andererseits erklärte unser Erlöser deutlich: »Weh euch, wenn euch jedermann wohl redet! Denn das Gleiche haben ihre Väter den falschen Propheten getan.« (Lukas 6,26) Der Geist der Welt verträgt sich mit dem Geist Christi heute genauso wenig wie in früheren Zeiten. Wer das Wort Gottes unverfälscht verkündigt, wird heute nicht mit größerem Vorzug empfangen als damals. Die Formen des Widerstands gegen die Wahrheit mögen sich ändern, die Feindschaft mag weniger offen sein, weil raffinierter, doch der Gegensatz zwischen beiden besteht noch immer und wird bis zum Ende der Zeit immer klarer sichtbar werden.

KAPITEL 4

LUTHER VOR DEM REICHSTAG

Mit Karl V. hatte ein neuer Kaiser den deutschen Thron bestiegen. Die römischen Gesandten beeilten sich, ihre Glückwünsche zu überbringen und den Monarchen zu bewegen, seine Macht gegen die Reformation einzusetzen. Auf der anderen Seite wurde Karl vom Kurfürst von Sachsen, dem er zu einem großen Teil seine Krone verdankte, eindringlich gebeten, keine Maßnahmen gegen Luther einzuleiten, bevor er diesen nicht angehört hätte. Damit kam der Kaiser in eine schwierige Lage, die ihn in Verlegenheit brachte. Die Vertreter des Papstes würden sich nicht mit weniger zufrieden geben, als mit einem kaiserlichen Erlass, der Luther zum Tod verurteilte. Der Kurfürst hingegen hatte mit Nachdruck erklärt, dass weder Seine Kaiserliche Majestät noch jemand anderes bisher nachgewiesen hätten, dass Luthers Schriften widerlegt seien. Deshalb bat er um »freies Geleit für Dr. Luther, um ihn vor einem Tribunal von gelehrten, frommen und unparteiischen Richtern erscheinen zu lassen« (DAGR, IV, 11; vgl. KML, I, 367 u. 384).

Gemälde: DER REICHSTAG | Martin Luther vor den Mächtigen

SCHWERE ANKLAGEN IN WORMS

Die Aufmerksamkeit aller Parteien richtete sich nun auf die Versammlung der deutschen Länder, die kurz nach Karls Thronbesteigung in Worms stattfand. Wichtige politische Fragen von nationalem Interesse standen bei diesem Reichstag auf der Tagesordnung, und zum ersten Mal sollten die deutschen Fürsten ihren jugendlichen Monarchen an einer Reichsversammlung erleben. Aus allen Gebieten des Vaterlands waren kirchliche und staatliche Würdenträger gekommen. Weltliche Adlige, von edler Geburt, mächtig und eifersüchtig auf ihre ererbten Rechte bedacht; Kirchenfürsten, stolz auf ihre überragende Würde und Macht; höfische Ritter und ihr bewaffnetes Gefolge und Gesandte aus fernen Ländern; sie alle kamen nach Worms. Doch das Hauptinteresse dieser großen Versammlung galt der Sache des sächsischen Reformators.

Karl hatte den Kurfürsten zuvor angewiesen, Luther auf den Reichstag mitzubringen, ihm seinen Schutz zugesichert, freies Geleit versprochen und eine offene Diskussion der strittigen Punkte mit fachkundigen Personen zugesagt. Luther selbst sah seinem Erscheinen vor dem Kaiser mit Spannung entgegen. Mit seiner Gesundheit stand es in jener Zeit nicht zum Besten, doch er schrieb dem Kurfürsten: »Ich werde, wenn man mich ruft, kommen, soweit an mir liegt, ob ich mich auch krank müsste hinfahren lassen, denn man darf nicht zweifeln, dass ich von dem Herrn gerufen werde, wenn der Kaiser mich ruft. Greifen sie zur Gewalt, wie es wahrscheinlich ist – denn um belehrt zu werden, lassen sie mich nicht rufen –, so muss man dem Herrn die Sache befehlen; dennoch lebt und regiert derselbige, der die drei Knaben im Feuerofen des Königs von Babylon erhalten hat. Will er mich nicht erhalten, so ist's um meinen Kopf eine geringe Sache. ... Man muss nur dafür sorgen, dass wir das Evangelium, das wir begonnen, den Gottlosen nicht zum Spott werden lassen. ... Wir wollen lieber unser Blut dafür vergießen. Wir können nicht wissen, ob durch unser Leben oder unseren Tod dem allgemeinen Wohle mehr genützt werde. ... Nimm von mir alles, nur nicht, dass ich fliehe oder widerrufe: Fliehen will ich nicht, widerrufen noch viel weniger.« (DAGR, IV, 11; vgl. EMLB, XXI, 24, 21.12.1520)

Die Nachricht, dass Luther vor dem Reichstag erscheinen würde, rief in Worms allgemeine Aufregung hervor. Der päpstliche Nuntius, Hieronymus Aleander, dem man die Sache insbesondere anvertraut hatte, war beunruhigt und wütend. Er sah einen verheerenden Ausgang für die Sache des Papsttums voraus. Eine Untersuchung für einen Fall einzuleiten, bei dem der Papst bereits seine Verurteilung ausgesprochen hatte, war eine Schande für die Autorität des Pontifex Maximus. Zudem war er besorgt, dass die wortgewaltige Darstellung der Beweise dieses Mannes viele Fürsten veranlassen könnte, sich von der Sache des Papstes abzuwenden. Er protestierte deshalb bei Karl in schärfster Form, dass Luther vor dem Reichstag erscheinen sollte. Um diese Zeit wurde die Bulle über Luthers Exkommunikation veröffentlicht. Zusammen mit den Einsprüchen des Legaten, veranlasste dies den Kaiser nachzugeben. Er schrieb dem Kurfürsten von Sachsen, dass Luther in Wittenberg bleiben müsse, wenn er nicht widerrufen wollte.

Aleander gab sich mit diesem Sieg nicht zufrieden, sondern arbeitete mit aller Macht und Schlauheit daran, dass Luther verurteilt würde. Mit einer Beharrlichkeit, die einer besseren Sache würdig gewesen wäre, lenkte er die Aufmerksamkeit der Fürsten, Prälaten und der anderen Mitglieder der Versammlung darauf, den Reformator der »Aufwiegelung, Rebellion, Gottlosigkeit und Gotteslästerung« zu beschuldigen. Doch die Wucht und Leidenschaft, die der Legat an den Tag legte, zeigten nur allzu deutlich den Geist, der ihn trieb. Es war die allgemeine Meinung, »es sei mehr Neid und Rachelust als Eifer der Frömmigkeit, die ihn aufreizten« (DAGR, VII, 1; vgl. CCL, 54 ff.). Die Mehrheit im Reichstag war mehr denn je geneigt, die Sache Luthers günstig zu beurteilen.

Mit doppeltem Eifer drängte Aleander den Kaiser zu seiner Pflicht, die päpstlichen Erlasse durchzusetzen, doch nach deutschem Gesetz war dies nicht ohne die Zustimmung der Fürsten möglich. Als der Kaiser letztlich der Aufdringlichkeit des Legaten nachgab, wurde dem päpstlichen Gesandten erlaubt, vor dem Reichstag zu sprechen. »Es war ein großer Tag für den Nuntius. Die Versammlung war groß, noch größer war die Sache. Aleander sollte für Rom, die Mutter und Herrin aller Kirchen, das Wort führen.« Er sollte vor den versammelten Machthabern der Christenheit das Fürstentum von Petrus verteidigen. »Er hatte die Gabe der Beredsamkeit und zeigte sich der Erhabenheit des Anlasses gewachsen. Die Vorsehung wollte es, dass Rom vor dem erlauchtesten Tribunal erscheinen und dass seine Sache durch den begabtesten seiner Redner vertreten werden sollte, bevor die Verdammung ausgesprochen würde.« (WHP, VI, 4) Mit Besorgnis blickten die Fürsten, die auf der Seite Luthers standen, auf die Folgen der Rede Aleanders. Der Kurfürst von Sachsen war nicht zugegen, er sandte aber zwei Vertrauensleute nach Worms, um Notizen von der Ansprache des Nuntius zu machen.

Mit aller Macht der Gelehrsamkeit und Redekunst versuchte Aleander, die Wahrheit zu Fall zu bringen. Er schleuderte eine Beschuldigung nach der anderen auf Luther und nannte ihn einen Feind der Kirche und des Staates, der Lebenden und der Toten, der Geistlichkeit und der Laien, der Konzilien und der einzelnen Christen. »Die Irrtümer Luthers genügten«, sagte er, »um hunderttausend Ketzer zu verbrennen.«

Abschließend versuchte er, die Anhänger der Reformation zu verdächtigen. »Was sind all die Lutheraner? Eine Bande frecher Schulmeister, verdorbener Priester, liederlicher Mönche, unwissender Advokaten und herabgekommener Adliger, zusammen mit dem Pöbel, den sie fehlgeleitet und verdorben haben. Wie viel überlegener ist ihnen gegenüber die katholische Partei an Zahl, Fähigkeit und Macht! Ein einstimmiger Beschluss dieser erlauchten Versammlung wird die Einfältigen erleuchten, die Unklugen warnen, die Wankelmütigen entschieden machen und die Schwachen stärken.« (DAGR, VI, 3)

Mit solchen Waffen wurden die Verteidiger der Wahrheit in jedem Zeitalter angegriffen. Dieselben Argumente werden bis heute gegen all jene vorgebracht, die es wagen, etablierten Irrtümern mit den klaren und deutlichen Lehren des Wortes Gottes entgegenzutreten. »Wer sind diese Prediger neuer Lehren?«, rufen jene aus, die eine volkstümliche Religion wünschen. »Es sind Ungebildete, gering an Zahl und aus den unteren

Volksschichten. Und doch behaupten sie, die Wahrheit zu besitzen und das auserwählte Volk Gottes zu sein. Sie sind Unwissende und Getäuschte. Wie sehr ist ihnen unsere Kirche doch an Zahl und Einfluss überlegen. Wie viele große und gelehrte Männer sind doch auf unserer Seite und wie viel größer ist doch unsere Macht!« Solche Argumente haben ein bemerkenswertes Gewicht in der Welt, sind aber heute nicht beweiskräftiger als in den Tagen der Reformatoren.

Die Reformation wurde durch Luther nicht vollendet, wie viele annehmen. Sie muss bis zum Ende der Geschichte fortgeführt werden. Luthers großes Werk bestand darin, das Licht, das Gott auf ihn hatte scheinen lassen, anderen weiterzugeben. Er empfing jedoch noch nicht das volle Licht, das der Welt gegeben werden sollte. Von jener Zeit bis heute fiel fortwährend neues Licht auf die Heilige Schrift und ständig wurden neue Wahrheiten entdeckt.

MISSSTÄNDE WERDEN AUFGEDECKT

Die Ansprache des Legaten beeindruckte den Reichstag zutiefst (siehe HK, IX, 202). Luther, der den päpstlichen Vertreter mit den klaren und überzeugenden Wahrheiten des Wortes Gottes hätte widerlegen können, war nicht anwesend. Kein Versuch wurde unternommen, den Reformator zu verteidigen. Man war allgemein geneigt, nicht nur ihn und seine Lehren zu verdammen, sondern möglichst alle Ketzerei auszurotten. Rom hatte die günstigste Gelegenheit erhalten, die eigene Sache zu verteidigen. Alles, was zu ihrer Rechtfertigung gesagt werden konnte, wurde gesagt. Doch der vermeintliche Sieg war der Anfang der Niederlage. Von nun an sollte der Gegensatz zwischen Wahrheit und Irrtum noch deutlicher sichtbar werden, denn jetzt begann ein offener Kampf. Von jenem Tag an würde Rom nie wieder so sicher stehen, wie zuvor.

Während die meisten Mitglieder des Reichstags nicht gezögert hätten, Luther der Rache Roms auszuliefern, sahen und beklagten doch viele unter ihnen die große Verdorbenheit in der Kirche und wünschten, dass die Missbräuche beseitigt würden, unter denen das deutsche Volk durch den Sittenverfall und die Geldgier der Priesterherrschaft leiden musste. Der Legat hatte die päpstliche Rolle ins günstigste Licht gerückt. Doch nun bewegte Gott ein Mitglied des Reichstages dazu, die Auswirkungen der päpstlichen Gewaltherrschaft treffend zu beschreiben. Mit edler Entschlossenheit erhob sich Herzog Georg von Sachsen in jener fürstlichen Versammlung und beschrieb mit schrecklicher Genauigkeit den Betrug und die Gräuel des Papsttums und deren schlimme Folgen. Zum Schluss sagte er:

»Dies sind einige der Missbräuche, die laut gegen Rom zeugen. Alle Scham ist beiseite gelegt und sein einziges Ziel ist … Geld, Geld, Geld … sodass die Priester, die die Wahrheit lehren sollten, nichts als Lügen äußern, und sie werden nicht nur geduldet, sondern belohnt, denn je größer ihre Lügen, desto größer der Gewinn. Aus diesem verderbten Brunnen fließt vergiftetes Wasser. Die Ausschweifung reicht der Habsucht die Hand. … Das ist leider der Skandal, der von der Priesterschaft verursacht wird, der so viele arme Seelen in die ewige Verdammnis reißt. Eine allgemeine Reform muss durchgeführt werden« (DAGR, VII, 4; vgl. SCL, 328-330).

Luther selbst hätte die päpstlichen Missbräuche nicht fähiger und kompetenter und kräftiger anprangern können. Die Tatsache, dass der Redner ein ausgesprochener Feind des Reformators war, verlieh seinen Worten umso mehr Gewicht.

Wären den Versammelten die Augen geöffnet worden, hätten sie Engel in ihrer Mitte erblicken können, die ihre Lichtstrahlen durch die Dunkelheit des Irrtums sandten und die Herzen und Gemüter bereit machten, die Wahrheit zu empfangen. Selbst die Gegner der Reformation standen unter der Kontrolle des mächtigen Gottes der Wahrheit und der Weisheit. Auch durch sie bereitete er dem großen Werk, das jetzt ausgeführt werden sollte, den Weg. Martin Luther selbst war nicht anwesend, aber die Stimme eines Größeren, der mächtiger war als Luther, wurde in jener Versammlung vernommen.

Sofort ernannte der Reichstag einen Ausschuss, der eine Liste dieser päpstlichen Unterdrückungen aufstellen sollte, die so schwer auf dem deutschen Volk lasteten. Dieser Katalog enthielt 101 Anklagepunkte und wurde dem Kaiser mit der Bitte vorgelegt, unverzüglich Maßnahmen zur Beseitigung dieser Missstände zu ergreifen. »Es gehen so viele Seelen verloren«, sagten die Bittsteller, »so viele Räubereien, Bestechungen finden statt, weil das geistliche Oberhaupt der Christenheit sie gestattet. Es muss dem Untergang und der Schande unseres Volkes vorgebeugt werden. Wir bitten Euch untertänigst und inständigst, dahin zu wirken, dass eine Besserung und gemeine Reformation geschehe« (DAGR, VII, 4; vgl. KNRU, XXI, 275).

LUTHER WIRD VORGELADEN

Der Reichstag verlangte nun, dass Luther vor der Versammlung erscheinen sollte. Ungeachtet der Bitten, Proteste und Drohungen Aleanders sagte der Kaiser endlich zu und Luther wurde aufgefordert, vor dem Reichstag zu erscheinen. Mit der Aufforderung wurde ihm freies Geleit zugesichert, das ihm die Rückkehr an einen sicheren Ort garantierte. Ein Herold brachte diese Zusicherung nach Wittenberg und erhielt den Auftrag, Luther nach Worms zu geleiten.

Luthers Freunde waren bestürzt und erschrocken. Sie kannten das Vorurteil und die Feindschaft gegen ihn und befürchteten, dass selbst das freie Geleit nicht beachtet würde, darum bedrängten sie ihn, sein Leben nicht aufs Spiel zu setzen. Er antwortete: »Die Anhänger des Papstes wollen gar nicht, dass ich nach Worms komme, sie wollen nur meine Verurteilung und meinen Tod. Aber das alles ist unbedeutend. Betet nicht für mich, sondern für das Wort Gottes. ... Christus wird mir seinen Geist geben, dass ich diese Diener des Irrtums überwinde. Ich verachte sie im Leben, ich werde sie durch meinen Tod besiegen. Sie arbeiten daran, mich zu zwingen, dass ich widerrufe; aber mein Widerruf wird also lauten: Ich habe früher gesagt, der Papst sei der Statthalter Christi, jetzt bestehe ich darauf, dass der Papst der Widersacher unseres Herrn ist und der Apostel des Satans.« (DAGR, VII, 6)

EINE BEWEGTE REISE

Luther musste seine gefahrvolle Reise nicht alleine machen. Drei seiner besten Freunde entschlossen sich, ihn an der Seite des kaiserlichen Boten zu begleiten. Auch Melanchthon hätte sich ihnen gerne angeschlossen. Sein Herz war mit Luther verbunden, und er sehnte sich danach, ihm zu folgen, wenn nötig, auch ins Gefängnis oder in den Tod. Aber seinen Bitten wurde nicht entsprochen. Sollte Luther etwas zustoßen, so läge die Hoffnung der Reformation auf dem jungen Mitarbeiter. Als sich der Reformator von Melanchthon verabschiedete, sagte er: »Wenn ich nicht zurückkomme und meine Feinde mich töten, lehre du weiter und bleibe in der Wahrheit. Arbeite du an meiner Stelle. ... Wenn du überlebst, wird mein Tod wenig Auswirkung haben.« (DAGR, VII, 7) Studenten und Bürger waren bei Luthers Abreise sichtlich gerührt. Viele, die das Evangelium angenommen hatten, weinten bei seinem Abschied. So machten sich der Reformator und seine Gefährten von Wittenberg aus auf den Weg.

Unterwegs nahmen sie wahr, dass düstere Vorahnungen das Volk bedrückten. In einigen Städten wurde ihnen keine Ehre erwiesen. Als sie an einem Ort übernachteten, drückte ein freundlich gesinnter Priester seine Befürchtungen aus und zeigte ihnen das Bild eines italienischen Reformators, der als Märtyrer gestorben war. Am folgenden Tag erfuhren sie, dass Luthers Werke in Worms bereits verworfen worden waren. Offizielle Boten verkündeten den Beschluss des Kaisers und forderten das Volk auf, die geächteten Bücher den Behörden abzuliefern. Der kaiserliche Begleiter fürchtete um Luthers Sicherheit auf dem Reichstag, und da er meinte, dass Luther bereits unsicher geworden sei, fragte er ihn, ob er weiterreisen wollte. Dieser antwortete: »Ja, obwohl geächtet in allen Städten, werde ich doch fortziehen.« (DAGR, VII, 7; vgl. LEA, LXIV, 367)

In Erfurt wurde Luther mit allen Ehren empfangen. Auf den Straßen, die er oft mit einem Bettelsack durchschritten hatte, bewunderte ihn jetzt die Menge. Er besuchte seine Klosterzelle und erinnerte sich an seine inneren Kämpfe. Das Licht, das seine Seele dort erleuchtet hatte, durchflutete nun ganz Deutschland. Man drängte ihn zum Predigen, was ihm eigentlich verboten worden war. Doch der kaiserliche Begleiter erlaubte es ihm und nun bestieg jener Mönch, der seinerzeit ein Klosterknecht war, die Kanzel.

Einer überfüllten Versammlung predigte er die Worte Christi: »Friede sei mit euch! ... Ihr wisset auch, dass alle Philosophen, Doktoren und Skribenten sich beflissen zu lehren und schreiben, wie sich der Mensch zur Frömmigkeit halten soll, haben sich des sehr bemüht, aber wie man sieht, wenig ausgerichtet. ... Denn Gott, der hat auserwählet einen Menschen, den Herrn Jesum Christ, dass der soll den Tod zerknirschen, die Sünden zerstören und die Hölle zerbrechen. Dies ist das Werk der Erlösung. ... Christus hat gesiegt! Dies ist die gute Nachricht, und wir werden durch sein Werk gerettet und nicht durch unsere eigenen. ... Unser Herr Christus hat gesagt: Habt Frieden und sehet meine Hände. Sieh Mensch, ich bin der allein, der deine Sünde hat hinweggenommen, der dich erlöste. Nun habe Frieden. ...«

Er fuhr fort und zeigte auf, dass der wahre Glauben sich in einem heiligen Leben offenbart. »Da uns Gott gerettet hat, lasst uns unsere Werke ordnen, dass sie ihm annehmbar sind. Ist er reich, so soll sein Gut den Armen nutz sein; ist er arm, soll sein Verdienst den Reichen zugute kommen. ... Denn wenn du merkst, dass du deinen Nutzen allein schaffst, so ist dein Dienst falsch.« (DAGR, VII, 7; vgl. LEA, XVI, 249-257)

Gebannt hörten die Leute zu. Jenen nach Wahrheit hungernden Menschen wurde das Brot des Lebens gebrochen. Christus wurde vor ihnen über Päpste, Legaten, Kaiser und Könige erhoben. Luther machte keinerlei Andeutungen über seine gefährliche Lage. Er wollte sich nicht zum Mittelpunkt der Gefühle oder der Sympathien machen. Im Nachdenken über Christus vergaß er sich selbst. Er verbarg sich hinter dem Mann von Golgatha und wollte nur Jesus als den einzigen Erlöser des Sünders darstellen.

Überall auf seinem weiteren Reiseweg brachte man ihm großes Interesse entgegen. Eine neugierige Menge war stets um ihn und freundliche

Stimmen warnten vor den Absichten der Anhänger des Papstes. Einige sagten: »Man wird dich verbrennen wie den Hus«. Luther antwortete: »Und wenn sie gleich ein Feuer machten, das zwischen Wittenberg und Worms bis an den Himmel reicht, weil es aber gefordert wäre, so wollte ich doch im Namen des Herrn erscheinen und dem Behemoth zwischen seine großen Zähne treten und Christum bekennen und denselben walten lassen.« (DAGR, VII, 7; vgl. WLS, XV, 2172 u. 2173)

LUTHERS ANKUNFT IN WORMS

Die Neuigkeit seiner Ankunft in Worms erregte großes Aufsehen. Seine Freunde zitterten um seine Sicherheit und seine Feinde bangten um den Erfolg ihrer Sache. Man bemühte sich energisch, ihn vom Betreten der Stadt abzuhalten. Auf Betreiben der Anhänger des Papsttums drängte man ihn, sich auf das Schloss eines befreundeten Ritters zu begeben, wo angeblich alle Schwierigkeiten freundschaftlich beigelegt werden könnten. Freunde versuchten, in ihm Angst vor der drohenden Gefahr zu wecken. Doch all ihre Bemühungen waren umsonst. Luther wankte nicht und erklärte: »Ich will gen Worms, wenngleich so viel Teufel drinnen wären als immer Ziegel auf ihren Dächern!« (DAGR, VII, 7)

Bei seiner Ankunft in Worms strömte eine große Menge zu den Stadttoren, um ihn zu begrüßen. Ein so großer Menschenauflauf kam nicht einmal bei der Ankunft des Kaisers zusammen. Die Aufregung war groß, und in der Menge sang jemand mit schriller Stimme ein Beerdigungslied als Warnung für Luther, was für ein Schicksal ihm bevorstünde. »Gott wird mein Schutz sein«, sprach dieser mutig beim Verlassen des Wagens.

Die Anhänger des Papsttums hatten nicht geglaubt, dass Luther wirklich nach Worms kommen würde, und seine Ankunft erfüllte sie mit Bestürzung. Der Kaiser rief unverzüglich seine Berater zusammen, um die Vorgehensweise zu besprechen. Einer der Bischöfe, ein unbeugsamer Anhänger des Papsttums, erklärte: »Wir haben uns schon lange darüber beraten. Seine Kaiserliche Majestät möge diesen Mann beiseite tun und ihn umbringen lassen. Sigismund hat den Johann Hus ebenso behandelt; einem Ketzer braucht man kein freies Geleit zu geben oder zu halten.« »Nein«, entschied der Kaiser, »wir müssen unser Wort halten.« (DAGR, VII, 8; vgl. RDG, I, 330 ff) Deshalb wurde entschieden, den Reformator anzuhören.

Die ganze Stadt wollte diesen außergewöhnlichen Mann sehen, und bald war seine Unterkunft voller Besucher. Luther hatte sich kaum von einer kürzlich erlittenen Krankheit erholt. Er war auch noch müde von der Reise, die volle zwei Wochen gedauert hatte. Er musste sich auf die wichtigen Ereignisse des folgenden Tages vorbereiten und brauchte Ruhe und Entspannung. Der Wunsch, ihn zu sehen, war jedoch so groß, dass er sich nur einige Stunden Ruhe gönnen konnte, bevor sich Edelleute, Ritter, Priester und Bürger um ihn scharten. Unter ihnen gab es viele Adlige, die vom Kaiser so mutig eine Abschaffung der kirchlichen Missbräuche verlangt hatten und, wie Luther sich ausdrückte, »alle durch mein Evangelium frei geworden waren« (MLTL, 393). Freund und Feind wollten den unerschrockenen Mönch sehen. Er empfing sie ruhig und beherrscht und beantwortete alle Fragen mit Würde und Weisheit. Er war standhaft und mutig. Sein bleiches und hageres Gesicht war von Mühe und Krankheit gezeichnet, hatte aber einen freundlichen und sogar freudigen Ausdruck. Der feierliche Ernst seiner Worte strahlte eine unwiderstehliche Kraft aus, die selbst seine Feinde nicht unberührt ließ. Freund und Feind wunderten sich über ihn. Manche waren überzeugt, dass er von Gott geleitet war. Andere äußerten ähnliche Bemerkungen wie die Pharisäer über Christus: »Er hat einen Teufel.«

Am folgenden Tag wurde Luther aufgefordert, vor dem Reichstag zu erscheinen. Ein kaiserlicher Beamter wurde beauftragt, ihn in den Empfangssaal zu führen. Nur mit Mühe erreichte er aber diesen Ort. An jedem Zugang standen Schaulustige, die jenen Mönch sehen wollten, der es gewagt hatte, der Autorität des Papstes Widerstand zu leisten.

Gerade wollte Luther vor seine Richter treten, als ein alter Feldherr und Sieger mancher Schlacht freundlich zu ihm sagte: »Mönchlein, Mönchlein, du hast jetzt einen Gang zu tun, dergleichen ich und mancher Oberster auch in unsern blutigsten Schlachten nicht getan haben. Aber ist dein Anliegen gerecht und deine Sache sicher, so fahre in Gottes Namen fort und sei nur getrost, Gott wird dich nicht verlassen.«* (DAGR, VII, 8; vgl. SAS, III, 54)

VOR DEM REICHSTAG

Schließlich stand Luther vor dem Reichstag. Der Kaiser saß auf seinem Thron und war umgeben von den erlauchtesten Persönlichkeiten des Reichs. Nie zuvor war ein Mensch einer eindrucksvolleren Versammlung gegenübergetreten. Hier sollte Martin Luther für seinen Glauben Rede und Antwort stehen. »Sein Erscheinen allein war ein außerordentlicher Sieg über das Papsttum. Der Papst hatte diesen Mann verurteilt, und dieser stand jetzt vor einem Gericht, das sich dadurch über den Papst stellte. Der Papst hatte ihn in den Bann getan, von aller menschlichen Gesellschaft ausgestoßen, und dennoch war er mit höflichen Worten vorgeladen und erschien nun vor der erlauchtesten Versammlung der Welt. Der Papst hatte ihn zu ewigem Schweigen verurteilt und jetzt sollte er vor Tausenden aufmerksamer Zuhörer aus den fernsten Ländern der Christenheit reden. So kam durch Luther eine gewaltige Revolution zustande: Rom stieg von seinem Thron herab und das Wort eines Mönches gab die Veranlassung.« (DAGR, VII, 8)

Vor dieser mächtigen adligen Versammlung schien der Reformator, der aus einfachen Verhältnissen stammte, eingeschüchtert und verlegen. Mehrere Fürsten bemerkten seine Gefühlsregungen, und einer von denen, die sich ihm genähert hatten, flüsterte ihm zu: »Fürchtet Euch nicht vor denen, die den Leib töten und die Seele nicht mögen töten.« Ein anderer sagte: »Wenn Ihr vor Fürsten und Könige geführt werdet um meinetwillen, wird es Euch durch den Geist Eures Vaters gegeben werden, was Ihr reden sollt.« (Siehe MLL, 53.) Aus dem Mund großer weltlicher Herren stärkten die Worte Christi seinen Diener in der Stunde der Prüfung.

---

* Es handelte sich um den Landsknechtführer Georg von Frundsberg, der Luther mit den zitierten Worten ermutigend auf die Schulter geklopft haben soll.

Luther wurde direkt vor den Thron des Kaisers geführt. Es herrschte Totenstille im überfüllten Saal. Dann erhob sich ein kaiserlicher Beamter, zeigte auf einen Stapel Bücher und wollte von Luther zwei Fragen beantwortet haben: ob er dieselben als die seinigen anerkenne und ob er die Ansichten widerrufen wolle, die er darin verbreitet hatte. Nachdem die Buchtitel vorgelesen worden waren, antwortete Luther, indem er die erste Frage bestätigte, diese Bücher geschrieben zu haben. »Was die zweite Frage betrifft«, fuhr er fort, »weil dies eine Frage vom Glauben und der Seelen Seligkeit ist und das göttliche Wort betrifft, was das höchste ist im Himmel und auf Erden … da wäre es vermessen und sehr gefährlich, etwas Unbedachtes auszusprechen. Ich könnte ohne vorherige Überlegung leicht weniger behaupten, als die Sache erfordert, oder mehr als der Wahrheit gemäß wäre, und durch das eine und andere jenem Urteile Christi verfallen: ›Wer mich verleugnet vor den Menschen, den werde ich vor meinem himmlischen Vater auch verleugnen‹ (Matthäus 10,33). Deshalb bitte ich Eure Kaiserliche Majestät aufs Alleruntertänigste um Bedenkzeit, damit ich ohne Nachteil für das göttliche Wort und ohne Gefahr für meine Seele dieser Frage genugtue.« (DAGR, VII, 8; vgl. LEA, LXIV, 377 ff; op. lat. XXXVII, 5-8)

Es war klug von Luther, dieses Gesuch zu stellen. Sein Vorgehen überzeugte die Versammlung davon, dass er nicht impulsiv oder unüberlegt handelte. Solche Ruhe und Selbstbeherrschung, die von einem Menschen nicht erwartet wurden, der stets kühn und unnachgiebig war, trug zu seiner Überlegenheit bei und befähigte ihn später, seine Antworten mit Vorsicht, Entschiedenheit, Weisheit und Würde vorzutragen, was seine Gegner überraschte und enttäuschte und ihre Anmaßung und ihren Stolz bändigte.

UNTER DEM SCHUTZ GOTTES

Am folgenden Tag musste er wieder erscheinen, um seine endgültige Antwort zu geben. Als er darüber nachdachte, welch große Mächte sich gegen die Wahrheit verbündet hatten, verließ ihn für einige Augenblicke der Mut. Sein Glaube schwankte, Furcht und Zittern ergriffen ihn und Schrecken überwältigte ihn. Gefahren türmten sich vor ihm auf, seine Feinde schienen zu siegen, und die Mächte der Finsternis die Oberhand zu gewinnen. Wolken umgaben ihn und schienen ihn von Gott zu trennen. Er sehnte sich nach der Gewissheit, dass der Herr der Heerscharen mit ihm sei. In seiner Seelennot warf er sich auf sein Angesicht und stieß jene gebrochenen und herzzerreißenden Schreie aus, die niemand außer Gott völlig verstehen kann.

Er betete: »Allmächtiger, ewiger Gott! Wie ist es nur ein Ding um die Welt! Wie sperrt sie den Leuten die Mäuler auf, und ich habe so wenig Vertrauen in dich. ... Wenn es nur die Kraft dieser Welt ist, in die ich mein Vertrauen setze, ist alles vorbei. ... Meine letzte Stunde ist gekommen, meine Verdammung ist ausgesprochen. ... Ach Gott! O du mein Gott, stehe du mir bei wider alle Welt, Vernunft und Weisheit. Tue du es; du musst es tun, du allein. Ist es doch nicht meine, sondern deine Sache. Habe ich doch für meine Person hier nichts zu schaffen und mit diesen großen Herren der Welt zu tun. ... Aber dein ist die Sache, Herr, die gerecht und ewig ist. Stehe mir bei, du treuer, ewiger Gott! Ich verlasse mich auf keinen Menschen. Es ist umsonst und vergebens, es hinket alles, was fleischlich ist. ... Hast du mich dazu erwählet? ... Steh mir bei in dem Namen deines lieben Sohnes Jesu Christi, der mein Schutz und Schirm sein soll, ja meine feste Burg.« (DAGR, vgl. LEA, LXIV, 289 ff.)

Eine weise Vorsehung hatte Luther seine Notlage erkennen lassen, damit er nicht auf seine eigene Kraft vertraute und sich selbstsicher in Gefahr stürzte. Es war jedoch keine Furcht vor persönlichem Leiden, keine Angst vor Folter oder Tod, die ihm unmittelbar drohten und ihn nun mit Schrecken erfüllten. Er war an einem Punkt angekommen, wo er alleine nicht mehr weiter wusste. Durch seine Schwäche hätte die Sache der Wahrheit Schaden erleiden können. Er rang mit Gott nicht um seine eigene Sicherheit, sondern um den Sieg des Evangeliums. Seine Angst glich dem Ringen Jakobs an dem einsamen Bach. Wie Israel errang auch er den Sieg vor Gott. In seiner vollkommenen Hilflosigkeit klammerte er sich an Christus, den mächtigen Befreier.

Er wurde gestärkt durch die Zusicherung, dass er nicht allein vor den Reichstag treten müsse. Friede kehrte in seine Seele zurück, und er freute sich, dass es ihm vergönnt war, das Wort Gottes vor all den Herrschern dieser Welt hochzuhalten.

In festem Gottvertrauen bereitete sich Luther auf den ihm bevorstehenden Kampf vor. Er überlegte, wie er antworten könnte, sah Stellen in seinen eigenen Schriften durch und suchte in der Heiligen Schrift nach passenden Beweisen, die seine Positionen stützten. Dann legte er seine linke Hand auf die Heilige Schrift, die offen vor ihm lag, hob seine rechte Hand zum Himmel und gelobte, »dem Evangelium treu zu bleiben und seinen Glauben frei zu bekennen, sollte er ihn auch mit seinem Blute besiegeln« (DAGR, VII, 8).

Als er wieder in den Reichstag geführt wurde, zeigte sein Gesicht keine Spuren von Furcht und Verlegenheit. Ruhig und friedvoll, dennoch erhaben, großmütig und edel stand er als Zeuge Gottes vor den Großen dieser Welt. Der Kaiserliche Beamte verlangte nun nach der Entscheidung. War Luther jetzt gewillt, seine Lehren zu widerrufen? In gedämpftem und bescheidenem Ton, maßvoll und ohne Erregung trug Luther seine Antwort vor. Sein Benehmen war zurückhaltend und ehrerbietig, strahlte jedoch zur Überraschung der Versammlung dennoch Zuversicht und Freude aus.

BESCHEIDEN, ABER DEUTLICH

Seine Antwort lautete: »Allerdurchlauchtigster, großmächtigster Kaiser, durchlauchtigste Fürsten, gnädigste und gnädige Herren! Auf die Bedenkzeit, mir auf gestrigen Abend ernannt, erscheine ich gehorsam und bitte durch die Barmherzigkeit Gottes Eure Kaiserliche Majestät um Gnaden, dass sie wollen, wie ich hoffe, diese Sachen der Gerechtigkeit und Wahrheit gnädiglich zuhören, und so ich von wegen meiner Unerfahrenheit ... wider die höfischen Sitten handle, mir solches gnädig zu verzeihen als einem, der nicht an fürstlichen Höfen erzogen, sondern in Mönchswinkeln aufgekommen.« (DAGR, VII, 8; vgl. LEA, LXIV, 378)

Dann ging er zu den Fragen über und betonte, dass seine Bücher nicht alle denselben Charakter hätten. Einige handelten vom Glauben und von guten Werken, und auch seine Widersacher hätten diese nicht nur als harmlos sondern auch als nützlich bezeichnet. Diese zu widerrufen hieße Wahrheiten verdammen, zu denen sich alle Seiten bekennen. Die zweite Art bestünde aus Schriften, die die Sittenverderbnis und Machtmissbräuche des Papsttums behandelten. Diese Werke zu widerrufen hieße, die Gewaltherrschaft Roms zu stärken und das Tor zur Gottlosigkeit noch weiter zu öffnen. In der dritten Art von Büchern würden Einzelpersonen angegriffen, die bestehende Übelstände verteidigt hätten. Hier gab er freimütig zu, dass er heftiger gewesen sei als es sich gezieme. Er erhebe keineswegs Anspruch auf Fehlerlosigkeit, doch auch diese Bücher könne er nicht widerrufen, denn sonst würden die Feinde der Wahrheit in ihrer Kühnheit nur noch bestärkt und das Volk mit noch größerer Grausamkeit unterdrückt.

»Dieweil aber ich ein Mensch und nicht Gott bin«, setzte er fort, »so mag ich meine Büchlein anders nicht verteidigen, denn mein Herr Jesus Christus seine Lehre unterstützt hat: ›Habe ich übel geredet, so beweise es‹ (vgl. Johannes 18,23). Derhalben bitte ich durch die Barmherzigkeit Gottes Eure Kaiserliche Majestät und Gnaden, oder aber alle andern Höchsten und Niedrigen mögen mir Zeugnis geben, mich des Irrtums überführen, mich mit prophetischen und evangelischen Schriften überwinden. Ich will auf das Allerwilligste bereit sein, so ich dessen überwiesen werde, alle Irrtümer zu widerrufen und der Allererste sein, meine Bücher in das Feuer zu werfen.

Aus welchem allem ist, meine ich, offenbar, dass ich genügsam bedacht, erwogen und ermessen habe die Gefahr, Zwietracht, Aufruhr und Empörung, so wegen meiner Lehre in der Welt erwachsen ist. ... Wahrlich, mir ist das Liebste zu hören, dass wegen des göttlichen Wortes sich Misshelligkeit und Uneinigkeit erheben wie in früheren Zeiten; denn das ist der Charakter und die Bestimmung des göttlichen Wortes, wie der Herr selbst sagt: ›Ich bin nicht gekommen, Frieden zu senden, sondern das Schwert.‹ (Matthäus 10,34) ... Darum müssen wir bedenken, wie wunderbar und schrecklich unser Gott ist in seinen Gerichten, auf dass nicht das, was jetzt unternommen wird, um die Uneinigkeit beizulegen, hernach, so wir den Anfang dazu mit Verdammung des göttlichen Wortes machen, vielmehr zu einer Sintflut unerträglicher Übel ausschlage. ... Ich könnte dafür reichlich Exempel bringen aus der Heiligen Schrift, von Pharao, den Königen zu Babel und von den Königen Israels, welche gerade dann am meisten Verderben sich bereitet haben, wenn sie mit den klügsten Reden und Anschlägen ihr Reich zu befrieden und zu befestigen dachten. Denn der Herr ist's, der die Klugen erhascht in ihrer Klugheit und die Berge umkehrt, ehe sie es innewerden; darum tut's Not, Gott zu fürchten.« (DAGR, VII, 8; vgl. LEA, LXIV, 379-382; op. lat. XXXVII, 11-13)

Luther hatte deutsch gesprochen. Nun wurde er aufgefordert, dieselben Worte auf Lateinisch zu wiederholen. Obwohl er durch die bisherigen Ausführungen erschöpft war, willigte er ein und trug seine Rede nochmals mit gleicher Klarheit und Deutlichkeit vor. Gott führte auch hier. Viele Fürsten waren durch Irrtum und Aberglauben so verblendet, dass sie die Kraft der Argumentation bei Luthers erster Rede nicht richtig erfassen konnten, doch durch die Wiederholung waren sie in der Lage, die Ausführungen klar zu verstehen.

SO HELFE MIR GOTT!

Abgeordnete, die ihre Augen hartnäckig vor dem Licht verschlossen und nicht bereit waren, sich von der Wahrheit überzeugen zu lassen, gerieten durch die vollmächtigen Worte Luthers in Wut. Als er seine Rede beendet hatte, sagte der Sprecher des Reichstags zornig: »Sie haben die Fragen nicht beantwortet, die Ihnen vorgelegt wurden. ... Sie werden hiermit aufgefordert, klar und deutlich zu antworten. ... Wollen Sie widerrufen oder nicht?«

Darauf erwiderte der Reformator: »Weil denn Eure Majestät und die Herrschaften eine einfache Antwort begehren, so will ich eine geben, die weder Hörner noch Zähne hat, dermaßen: Wenn ich nicht durch Zeugnisse der Schrift und klare Vernunftgründe überzeugt werde;

denn weder dem Papst noch den Konzilien allein glaube ich, da es feststeht, dass sie öfter geirrt und sich selbst widersprochen haben, so bin ich durch die Stellen der Heiligen Schrift, die ich angeführt habe, überwunden in meinem Gewissen und gefangen in dem Worte Gottes. Daher kann und will ich nichts widerrufen, weil wider das Gewissen etwas zu tun weder sicher noch heilsam ist. Hier stehe ich, ich kann nicht anders, Gott helfe mir, Amen.« (DAGR, VII, 8; vgl. LEA, LXIV, 382 ff.)

Damit stellte sich dieser rechtschaffene Mann auf das sichere Fundament des Wortes Gottes. Das Licht des Himmels erleuchtete sein Angesicht. Die Größe und Reinheit seines Charakters, sein Friede und seine Herzensfreude wurden jedermann deutlich, als er gegen die Macht des Irrtums aussagte und die Überlegenheit des Glaubens bezeugte, der die Welt überwindet.

Der ganzen Versammlung hatte es vor Verwunderung eine Zeit lang die Sprache verschlagen. Seine erste Antwort hatte Luther in leisem Ton und in ehrerbietiger, fast unterwürfiger Art vorgetragen. Die Anhänger Roms deuteten dies als ein Zeichen, dass ihm der Mut sank. Sein Gesuch um Bedenkzeit betrachteten sie als Vorbereitung zum Widerruf. Kaiser Karl, der halb verächtlich die erschöpfte Gestalt, das schlichte Äußere und das einfache Auftreten des Mönchs betrachtete, hatte selbst erklärt: »Dieser Mönch soll mich nicht zum Ketzer machen.« Der Mut und die Festigkeit, die Luther nun an den Tag legte, überraschte die Parteien ebenso wie die Kraft und die Klarheit seiner Argumente. Der Kaiser war vor Bewunderung hingerissen und rief: »Dieser Mönch redet unerschrocken, mit getrostem Mut!« Viele deutsche Fürsten blickten mit Stolz und Freude auf diesen Vertreter ihrer Nation.

Die Anhänger Roms waren geschlagen. Ihre Sache erschien in einem äußerst ungünstigen Licht. Um ihre Macht zu erhalten, beriefen sie sich nicht etwa auf die Heilige Schrift, sondern flüchteten sich in Drohungen, einem stets erfolgreichen Machtmittel Roms. Der Sprecher des Reichstags sagte: »Falls Ihr nicht widerruft, werden der Kaiser und die Fürsten und die Stände miteinander beraten, wie mit einem solch unkorrigierbaren Ketzer verfahren werden müsse.«

Luthers Freunde, die freudig seiner vortrefflichen Verteidigungsrede zugehört hatten, zitterten bei diesen Worten. Aber der Doktor selbst bemerkte gelassen: »So helf mir Gott, denn einen Widerruf kann ich nicht tun.« (DAGR, VII, 8; vgl. WLS, XV, 2234/2235)

LEGAT UND KAISER ...

Luther wurde angewiesen, den Saal zu verlassen, während sich die Fürsten zur Beratung versammelten. Sie erkannten, dass es zu einer großen Krise gekommen war. Luthers beharrliche Weigerung, sich zu fügen, könnte die Geschichte der Kirche für Jahrhunderte beeinflussen. Es wurde beschlossen, ihm nochmals Gelegenheit zum Widerruf zu geben. Er wurde zum letzten Mal vor den Reichstag gebracht. Wiederum wurde ihm die Frage gestellt, ob er seine Lehren widerrufen wolle. Luther wiederholte: »Ich weiß keine andere Antwort zu geben wie die bereits vorgebrachte.« (LLA, XVII, 580) Es war offensichtlich, dass er weder durch Versprechungen noch durch Drohungen dazu bewegt werden konnte, den Anweisungen Roms Folge zu leisten.

Die Vertreter Roms ärgerten sich, dass ihre Macht, die Könige und Adlige hatte erzittern lassen, von einem bescheidenen Mönch derart missachtet wurde. Er sollte ihren Zorn zu spüren bekommen, und sie wollten ihn zu Tode foltern. Obwohl Luther die drohende Gefahr erkannte, sprach er alle in christlicher Würde und Gelassenheit an. Seine Worte waren frei von Stolz, Eifer und Verdrehungen. Er hatte sich selbst und die großen Männer um sich herum völlig aus den Augen verloren und fühlte sich in der Gegenwart dessen, der unendlich höher war als Päpste, Prälaten, Könige und Kaiser. Christus hatte durch Luthers Zeugnis mit einer solchen Vollmacht und Erhabenheit gesprochen, dass Freund und Feind vorübergehend in Ehrfurcht und Staunen versetzt wurden. Der Geist Gottes war in jener Versammlung zugegen und ergriff die Herzen der Großen des Reichs. Mehrere Fürsten anerkannten mutig, dass Luthers Sache richtig war. Viele waren von der Wahrheit überzeugt, aber bei einigen währten die Eindrücke nicht lange. Dann gab es eine andere Gruppe, die sich zunächst mit ihrer Meinung zurückhielt, die aber die Schrift durchforschte und später zu furchtlosen Unterstützern der Reformation wurden.

Kurfürst Friedrich von Sachsen war gespannt auf Luthers Auftritt vor dem Reichstag und lauschte seiner Rede tief gerührt. Mit Stolz und Freude verfolgte er den Mut, die Entschlossenheit und Selbstbeherrschung des Gelehrten und war mehr denn je entschlossen, diesen Mann zu verteidigen. Als er die streitenden Parteien miteinander verglich, erkannte er, dass die Weisheit von Päpsten, Königen und Prälaten durch die Macht der Wahrheit zunichte gemacht worden war. Das Papsttum hatte eine Niederlage erlitten, die unter allen Völkern und zu allen Zeiten spürbar bleiben sollte.

Als der Legat erkannte, welche Wirkung Luthers Rede auf die Zuhörer ausgeübt hatte, fürchtete er wie nie zuvor um den Erhalt der römischen Macht. Er war bereit, jedes ihm zur Verfügung stehende Mittel einzusetzen, um den Reformator zu beseitigen. Mit all seiner Beredsamkeit und seinem diplomatischen Geschick, das ihn in so hohem Maße auszeichnete, warnte er den jungen Kaiser (etwa 21-jährig) vor der Torheit und Gefahr, die Freundschaft und Unterstützung des mächtigen Heiligen Stuhls wegen eines unbedeutenden Mönchs aufs Spiel zu setzen.

Seine Worte blieben nicht ohne Wirkung. Schon am Tag nach Luthers Antwort teilte Karl dem Reichstag mit, dass er entschlossen sei, die Politik seiner Vorfahren weiterzuführen, die katholische Religion zu schützen und zu erhalten. Da sich Luther geweigert habe, seinen Irrtümern abzuschwören, müssten nun die schwersten Maßnahmen gegen ihn und seine ketzerischen Lehren ergriffen werden. »Es sei offenkundig, dass ein durch seine eigene Torheit verleiteter Mönch der Lehre der ganzen Christenheit widerstreite ... so bin ich fest entschlossen, alle meine Königreiche, meine Schätze, meine Freunde, meinen Leib, mein Blut, meine Seele und mein Leben daran zu setzen, dass dies gottlose Vornehmen nicht weiter um sich greife. ... Ich gebiete demnach, dass er sogleich nach der Vorschrift des Befehls wieder heimgebracht werde und sich laut des öffentlichen Geleites in Acht nehme, nirgends zu predigen, noch dem Volk seine falschen Lehren weiter vorzutragen. Denn ich habe fest beschlossen, wider ihn als einen offenbaren Ketzer zu verfahren. Und begehre daher von Euch, dass Ihr in dieser Sache dasjenige beschließet, was rechten Christen gebührt und wie Ihr zu tun versprochen habt.« (DAGR, VII, 9; vgl. WLS, XIV, 2236/2237) Dennoch erklärte der Kaiser, dass das freie Geleit eingehalten werden und Luther zuerst sicher nach Hause kommen müsse, bevor Maßnahmen gegen ihn ergriffen werden könnten.

… GEGEN DEUTSCHE FÜRSTEN

Zwei gegensätzliche Meinungen stießen nun im Reichstag aufeinander. Die Gesandten und Vertreter des Papstes forderten von neuem, das freie Geleit für den Reformator nicht zu beachten. »Der Rhein«, sagten sie, »sollte seine Asche aufnehmen, wie dies hundert Jahre zuvor bei Hus der Fall war.« (DAGR, VII, 9) Doch die deutschen Fürsten, obwohl päpstlich gesinnt und offene Feinde Luthers, protestierten gegen einen solch offensichtlichen Treuebruch, da er ein Makel für die Ehre der Nation wäre. Sie wiesen auf das Unheil hin, das auf Hus' Tod folgte, und gaben deutlich zu verstehen, dass sie nicht gewillt waren, eine Wiederholung dieser schrecklichen Ereignisse über Deutschland und auf das Haupt ihres jugendlichen Kaisers hereinbrechen zu lassen.

Karl selbst erwiderte auf den niederträchtigen Vorschlag: »Wenn Treue und Glauben nirgends mehr gelitten würden, sollten doch solche an den fürstlichen Höfen ihre Zuflucht finden.« (DAGR, VII, 9; vgl. SCL, 357) Die erbittertsten unter den päpstlichen Feinden Luthers drangen noch weiter auf den Kaiser ein. Er sollte mit dem Reformator so verfahren, wie einst König Sigismund mit Jan Hus, als dieser ihn der Ungnade der Kirche überließ. Aber Karl V. erinnerte sich an die Begebenheit, als Hus in der öffentlichen Versammlung auf seine Ketten hinwies und den Monarchen an sein abgegebenes Versprechen erinnerte. Deshalb erklärte er: »Ich will nicht wie Sigismund erröten!« (DAGR, VII, 9; vgl. LHC, 1, 3, 404)

Karl hatte die Wahrheiten, die Luther verkündigt hatte, jedoch ganz bewusst verworfen. »Ich bin fest entschlossen«, schrieb der Herrscher, »in die Fußstapfen meiner Ahnen zu treten.« (DAGR, VII, 9) Er hatte entschieden, nicht von dem Pfad der gewohnten Tradition abzuweichen, auch nicht, um auf den Wegen der Wahrheit und der Gerechtigkeit zu gehen. Er würde das Papsttum trotz all seiner Grausamkeit und Korruption stützen, weil das schon seine Väter getan hatten. Damit hatte er seinen Standpunkt eingenommen, und so verwarf er alles Licht, das über die Erkenntnis seiner Väter hinausging, und lehnte jede weitergehende Verpflichtung ab.

MUTIG UND STANDHAFT

Heutzutage klammern sich viele in gleicher Weise an die Gewohnheiten und Traditionen ihrer Väter. Wenn der Herr ihnen weiteres Licht übermittelt, lehnen sie es ab, weil sie meinen: Was er den Vätern nicht gezeigt hat, gilt auch nicht für sie. Wir befinden uns jedoch nicht mehr dort, wo unsere Väter waren und deshalb sind auch unsere Pflichten und Verantwortlichkeiten nicht mehr die gleichen. Gott wird es nicht gutheißen, wenn wir lediglich auf das Beispiel unserer Väter blicken und für die Bestimmung unserer Pflichten das Wort der Wahrheit nicht selbstständig untersuchen. Unsere Verantwortung ist größer als die unserer Vorfahren. Wir sind nicht nur für jenes Licht verantwortlich, welches sie bereits empfangen und uns als Erbe hinterlassen haben, sondern zusätzlich auch für solches, das uns heute aus dem Wort Gottes erleuchtet.

Christus sagte von den ungläubigen Juden: »Wenn ich nicht gekommen wäre und hätte es ihnen gesagt, so hätten sie keine Sünde; nun aber können sie nichts vorwenden, um ihre Sünde zu entschuldigen.« (Johannes 15,22) Dieselbe göttliche Macht sprach durch Luther zum Kaiser und zu den deutschen Fürsten. Und als das Licht aus Gottes Wort erstrahlte, sprach sein Geist zum letzten Mal zu Vielen der Versammelten. So wie der Stolz und sein Streben nach Beliebtheit Pilatus viele Jahrhunderte zuvor dazu gebracht hatte, sein Herz vor dem

Erlöser der Welt zu verschließen; so wie Felix dem Boten der Wahrheit zitternd geboten hatte: »Für diesmal geh! Zu gelegener Zeit will ich dich wieder rufen lassen« (Apostelgeschichte 24,25), und so wie der stolze Agrippa bekannt hatte: »Es fehlt nicht viel, so wirst du mich noch überreden und einen Christen aus mir machen« (Apostelgeschichte 26,28) und sich von der Botschaft vom Himmel abwandte, so unterwarf sich auch Karl V. dem Diktat des weltlichen Stolzes und der Politik und verschmähte das Licht der Wahrheit.

Gerüchte über die Absichten gegen Luther machten die Runde und brachten die ganze Stadt in Aufregung. Der Reformator hatte viele Freunde gewonnen, die die hinterhältigen Grausamkeiten Roms gegen all jene kannten, die es gewagt hatten, die Verdorbenheit der Kirche aufzudecken. Sie beschlossen, dass Luther nicht geopfert werden dürfe. Hunderte von Adligen verpflichteten sich, ihn zu schützen. Nicht wenige rügten die Botschaft des Kaisers öffentlich als ein Zeugnis von Schwäche vor der Vorherrschaft Roms. An Haustüren und auf öffentlichen Plätzen wurden Plakate aufgehängt, von denen einige die Verurteilung, andere die Unterstützung Luthers forderten. Auf einem waren nur die bedeutungsvollen Worte des weisen Salomos geschrieben: »Weh dir, Land, dessen König ein Kind ist!« (Prediger 10,16) In ganz Deutschland war die Begeisterung des Volkes für Luther spürbar. Sowohl dem Kaiser als auch dem Reichstag war damit klar, dass jedes Unrecht, das ihm zugefügt würde, den Frieden im Reich und sogar die Sicherheit des Thrones gefährden würde.

Friedrich von Sachsen hielt sich mit seinen wirklichen Gefühlen für den Reformator wohlweislich zurück, während er gleichzeitig unermüdlich ein Auge auf ihn hatte und seine Wege und die seiner Feinde überwachte. Viele machten jedoch keinen Hehl aus ihrer Sympathie für Luther. Er wurde von Fürsten, Grafen, Baronen und anderen einflussreichen Persönlichkeiten kirchlichen und weltlichen Standes besucht. »Das kleine Zimmer des Doktors konnte die vielen Besucher, die sich vorstellten, nicht fassen«, schrieb Spalatin (MLTL, I; vgl. LEA, op. lat XXXVII, 15/16). Die Leute starrten auf ihn, als wäre er mehr als ein Mensch. Selbst solche, die seinen Lehren nicht glaubten, konnten seine Rechtschaffenheit nur bewundern, die ihm den Mut gab, eher den Tod zu erleiden als sein Gewissen zu verletzen.

Alles wurde unternommen, um Luther zu einem Kompromiss mit Rom zu bewegen. Adlige und Fürsten machten ihm klar, dass er bald aus dem Reich verbannt würde und nicht mehr verteidigt werden könne, falls er gegen die Beschlüsse von Kirche und Reichstag weiterhin sein eigenes Urteil durchsetzen wolle. Auf diese Bitte antwortete Luther: »Das Evangelium Christi kann nicht ohne Widerstand verkündigt werden. ... Warum sollte dann die Furcht oder die Ahnung von Gefahr mich vom Herrn trennen und vom göttlichen Wort, das allein die Wahrheit ist? Nein, ich würde vielmehr meinen Leib, mein Leben und mein Blut dahingeben.« (DAGR, VII, 10; vgl. LEA, op. lat. XXXVII, 18)

Erneut wurde er gedrängt, sich dem Urteil des Kaisers zu unterwerfen, denn dann hätte er nichts zu befürchten. Luther erwiderte: »Ich stimme von ganzem Herzen zu, dass der Kaiser, die Fürsten oder der geringste Christ meine Bücher prüfen und mein Werk beurteilen, aber nur unter der Bedingung, dass das Wort Gottes die Grundlage ist. Die Menschen müssen nur diesem allein gehorchen. Tut meinem Gewissen keine Gewalt an, das gebunden ist an die Heilige Schrift.« (DAGR, VII, 10)

Einem anderen Aufruf entgegnete er: »Ich will eher das sichere Geleit aufgeben. Ich lege meine Person und mein Leben in die Hand des Kaisers, doch niemals Gottes Wort – nie!« (DAGR, VII, 10) Er erklärte seine Bereitschaft, sich der Entscheidung eines allgemeinen Konzils zu unterwerfen, aber nur unter der Bedingung, dass es nach der Schrift entscheide. »Was das Wort Gottes und den Glauben anbelangt«, fügte er hinzu, »so kann jeder Christ ebenso gut urteilen wie der Papst es für ihn tun könnte, sollten ihn auch eine Million Konzilien unterstützen.« (MLTL, I,; vgl. LHA, II, 107) Freunde und Feinde waren schließlich überzeugt, dass weitere Vermittlungsversuche zwecklos seien.

Hätte der Reformator in nur einem einzigen Punkt nachgegeben, hätten Satan und seine Heere den Sieg errungen. Doch seine standhafte Entschlossenheit brachte der Kirche die Befreiung und führte sie in ein neues und besseres Zeitalter. Der Einfluss dieses einen Mannes, der es gewagt hatte, in religiösen Fragen selbstständig zu denken und zu handeln, sollte die Kirche und die Welt nicht nur zu seiner Zeit verändern, sondern für alle zukünftigen Generationen. Seine Entschlossenheit und Treue sollten bis zum Ende der Zeit ein Vorbild für alle sein, die ähnliche Erfahrungen machen müssen. Die Macht und Majestät Gottes überragten den Rat der Menschen und die mächtige Kraft Satans.

DIE ENTLASSUNG

Dann wurde Luther mit kaiserlicher Autorität befohlen, nach Hause zurückzukehren, und er wusste, dass dieser Entlassung bald seine Verurteilung folgen würde. Dunkle Wolken hingen über seinem Weg, doch als er Worms verließ, erfüllten Freude und Lobpreis sein Herz. »Der Teufel hat auch wohl verwahret des Papstes Regiment und wollte es verteidigen; aber Christus machte ein Loch darein, und Satan wurde gezwungen, einem Herrn, höher als er selbst, zu gehorchen.« (DAGR, VII, 11; vgl. LLA, XVII, 589)

Nach seiner Abreise – noch immer mit dem Wunsch erfüllt, dass man seine Entschlossenheit nicht als Auflehnung missdeuten möchte – schrieb Luther an den Kaiser: »Gott, der ein Herzenskündiger ist, ist mein Zeuge, dass ich in aller Untertänigkeit Eurer Kaiserlichen Majestät Gehorsam zu leisten ganz willig und bereit bin, es sei durch Leben oder Tod, durch Ehre, durch Schande, Gut oder Schaden. Ich habe auch nichts vorbehalten als allein das göttliche Wort, in welchem der Mensch nicht allein lebt. ... In zeitlichen Sachen sind wir schuldig, einander zu vertrauen, weil derselben Dinge Unterwerfung, Gefahr und Verlust der Seligkeit keinen Schaden tut. Aber in Gottes Sache und ewigen Gütern leidet Gott solche Gefahr nicht, dass der Mensch dem Menschen solches unterwerfe. ... Solcher Glaube und Unterwerfung ist das wahre rechte Anbeten und der eigentliche Gottesdienst und sollte nur dem Schöpfer dargebracht werden.« (DAGR, VII, 11; vgl. EMLB, XXI, 129-141, 28.04.1521)

Auf seiner Rückreise von Worms war Luthers Empfang in den Städten noch herzlicher als auf seiner Hinreise. Hochstehende Geistliche hießen den exkommunizierten Mönch willkommen, und weltliche Herrscher ehrten den Mann, der vom Kaiser geächtet wurde. Er wurde gebeten zu predigen, und trotz des kaiserlichen Verbots betrat er wiederum die Kanzel. »Ich habe nicht darein gewilligt, dass Gottes Wort gebunden werde«, sagte er, »noch will ich es.« (MLTL, I, 420; vgl. EMLB XXI, 154, 14.05.1521)

UNTER DIE REICHSACHT GESTELLT

Luther war noch nicht lange aus Worms abgereist, als die Vertreter des Papsttums beim Kaiser eine Reichsacht gegen den Reformator durchsetzten. Darin wurde Luther »nicht als ein Mensch, sondern als der böse Feind in Gestalt eines Menschen mit angenommener Mönchskutte« gebrandmarkt (DAGR, VII, 11; vgl. LEA, XXIV, 223-240). Es wurde befohlen, Maßnahmen gegen sein Werk zu ergreifen, sobald das freie Geleit abgelaufen war. Allen wurde verboten, ihn aufzunehmen, ihm Speise und Trank anzubieten, ihm öffentlich oder insgeheim durch Wort oder Tat zu helfen oder ihn zu unterstützen. Wo immer er sich aufhielt, sollte er festgenommen und der Obrigkeit ausgeliefert werden. Auch seine Anhänger sollten gefangen genommen und ihr Eigentum beschlagnahmt werden. Seine Schriften sollten vernichtet werden, und schließlich sollten alle, die es wagen würden, diesem Erlass zuwiderzuhandeln, ebenfalls verhaftet werden. Der Kurfürst von Sachsen und die Fürsten, die Luther wohlgesonnen waren, hatten Worms kurz nach dessen Abreise verlassen, und so konnte der Erlass des Kaisers vom Reichstag bestätigt werden. Nun frohlockte die römische Partei und sah das Schicksal der Reformation als besiegelt an.

AUF DIE WARTBURG ENTFÜHRT

Für diese Stunde der Gefahr hatte Gott seinem Diener einen Fluchtweg vorbereitet. Ein wachsames Auge hatte Luthers Wege verfolgt, und ein aufrichtiges und edles Herz hatte sich entschlossen, ihn zu retten. Es war eindeutig, dass Rom nur durch seinen Tod zufrieden gestellt werden konnte. Nur durch ein Versteck konnte Luther aus den Klauen des Löwen in Sicherheit gebracht werden. Gott verlieh Friedrich von Sachsen die Weisheit für einen Plan, wie Luther bewahrt werden konnte. Zusammen mit wahren Freunden wurde dieses Vorhaben ausgeführt und Luther unauffindbar vor Freunden und Feinden versteckt. Auf seiner Heimreise wurde Luther ergriffen, von seinen Begleitern getrennt, in höchster Eile durch einsame Wälder verschleppt und auf eine abgelegene Festung, die Wartburg, gebracht. Seine Entführung geschah unter solch geheimnisvollen Umständen, dass selbst Friedrich lange nicht wusste, wohin der Reformator gebracht worden war. Der Kurfürst wurde mit voller Absicht in Unkenntnis gelassen, denn solange er nichts über Luthers Aufenthaltsort wusste, konnte er dazu keine Auskunft geben. Er begnügte sich mit der Gewissheit, dass der Reformator in Sicherheit war.

Frühling, Sommer und Herbst vergingen, der Winter kam, und Luther war immer noch ein Gefangener. Aleander und seine Freunde frohlockten, denn sie glaubten, das Licht des Evangeliums sei ausgelöscht. Stattdessen füllte der Reformator seine Lampe aus dem Speicher der Wahrheit auf, und das Licht leuchtete umso heller.

In der sicheren Abgeschiedenheit der Wartburg freute sich Luther eine Zeit lang über seine Geborgenheit vor der Hitze des Kampfgetümmels. Aber dann belasteten ihn die Stille und Ruhe. Er war an ein Leben der Tat und des harten Kampfes gewöhnt und konnte es schwer ertragen, untätig zu sein. An diesen einsamen Tagen dachte er oft an den Zustand der Kirche, und verzweifelt rief er: »Aber, es ist niemand, der sich aufmache und zu Gott halte oder sich zur Mauer stelle für das Haus Israel an diesem letzten Tage des Zorns Gottes!« (DAGR, IX, 2; vgl. EMLB, XXI, 148, 12.5. 1521, an Melanchthon) Wiederum waren seine Gedanken nach innen gerichtet, und er fürchtete, der Feigheit beschuldigt zu werden, weil er sich aus dem Zwist zurückgezogen hatte. Dann machte er sich Vorwürfe wegen seiner Passivität und der

Behaglichkeit, in der er lebte. Doch er erreichte zu dieser Zeit mehr, als es für einen einzelnen Menschen möglich schien. Nie war seine Feder untätig. Während seine Feinde sich der Illusion hingaben, er sei zum Schweigen gebracht, wurden sie durch den Beweis des Gegenteils in Erstaunen und Verwirrung versetzt. Eine Fülle von Abhandlungen aus seiner Feder machten in ganz Deutschland die Runde. Einen ganz besonderen Dienst erwies er seinen Volksgenossen durch die Übersetzung des Neuen Testaments ins Deutsche. Von seinem felsigen Patmos verkündigte er fast ein ganzes Jahr lang das Evangelium und tadelte die Sünden und Irrtümer seiner Zeit.

Gott hatte seinen Diener aber nicht nur deswegen aus dem öffentlichen Leben genommen, um ihn vor dem Zorn seiner Feinde zu bewahren und ihm bei seiner wichtigen Aufgabe eine Zeit der Ruhe zu gönnen. Diese Zeit sollte noch weit wertvollere Ergebnisse hervorbringen. In der Einsamkeit und Abgeschiedenheit seines Zufluchtsortes in den Bergen war Luther von irdischen Helfern getrennt und fernab von menschlichem Lob. Das bewahrte ihn vor Stolz und Selbstsicherheit, die Erfolg sonst so oft hervorruft. Leid und Demütigung bereiteten ihn wiederum darauf vor, in der schwindelerregenden Höhe sicher zu gehen, auf die er so plötzlich erhoben worden war.

Wenn sich Menschen der Freiheit erfreuen, die die Wahrheit bringt, sind sie geneigt, jene zu loben, durch die Gott die Ketten ihres Irrtums und ihres Aberglaubens brechen ließ. Satan versucht immer wieder, die Gedanken und Neigungen des Menschen von Gott abzulenken und auf menschliche Mittler zu richten. Er bringt sie dazu, nur das Werkzeug zu ehren und die Hand, die alle Ereignisse durch Vorsehung lenkt, zu missachten. Nur allzu oft werden religiöse Verantwortungsträger gelobt und geehrt, die dann aber ihre Abhängigkeit von Gott vergessen und auf sich selbst vertrauen. Das Endergebnis davon ist, dass sie versuchen werden, das Gewissen und die Sinne der Menschen zu beherrschen, die sich dann der Führung dieser Leute anvertrauen, statt auf das Wort Gottes zu schauen. Das Werk der Erneuerung wird oft durch den Geist gehemmt, dem diese Anhänger unterliegen. Vor dieser Gefahr wollte

Gott die Reformation bewahren. Er wollte, dass dieses Werk das Siegel Gottes und nicht das eines Menschen trug. Die Menschen hatten ihren Blick auf Luther, den Ausleger der Wahrheit gerichtet. Er wurde von ihnen genommen, damit sich alle dem ewigen Begründer der Wahrheit selbst zuwenden sollten.

KAPITEL 5

ZWINGLI, DER REFORMATOR DER SCHWEIZ

Bei der Wahl der Werkzeuge für die Erneuerung der Kirche wird der gleiche göttliche Plan sichtbar wie bei ihrer Gründung. Der himmlische Lehrer ging an den Großen der Welt, die Titel und Reichtum besaßen und es gewohnt waren als Anführer des Volkes Lob und Ehre zu empfangen, einfach vorüber. Diese waren in ihrer eingebildeten Überlegenheit nämlich so stolz und selbstsicher, dass sie gar nicht mehr dazu bewegt werden konnten, ihren Mitmenschen Anteilnahme zu zeigen und Mitarbeiter des demütigen Mannes von Nazareth zu werden. An die ungelernten, hart arbeitenden Fischer von Galiläa war der Ruf ergangen: »Folgt mir nach; ich will euch zu Menschenfischern machen.« (Matthäus 4,19) Diese Jünger waren demütig und ließen sich unterweisen. Je weniger sie von den Irrtümern ihrer Zeit beeinflusst waren, desto erfolgreicher konnte Christus sie unterrichten und für seinen Dienst ausbilden. So war es auch in den Tagen der großen Reformation. Die führenden Reformatoren stammten aus bescheidenen Verhältnissen. Es waren Männer, die einerseits ganz frei waren vom Stolz über ihre soziale Stellung und andererseits vom Einfluss der Frömmelei und

Gemälde: DER KÄMPFER | Huldrych Zwingli und die Reformation in Zürich

den Machenschaften der Priesterklasse. Es liegt in Gottes Plan, durch den Einsatz bescheidener Werkzeuge große Ergebnisse zu erzielen. Auf diese Weise fällt die Ehre nicht den Menschen zu, sondern dem, der in ihnen »das Wollen und das Vollbringen bewirkt, zu seinem eigenen Wohlgefallen« (Philipper 2,13 ZÜ).

SCHULZEIT UND STUDIUM

Wenige Wochen nachdem Luther in der Hütte eines sächsischen Bergmanns zur Welt gekommen war, wurde Ulrich Zwingli am Fuß der Alpen im Haus eines Bergbauern (in Wildhaus im Toggenburg) geboren. Die Umgebung, in der Zwingli aufwuchs und seine erste Bildung waren eine gute Vorbereitung für seine künftige Aufgabe. Er wuchs inmitten einer Bergwelt von natürlicher Schönheit und würdevoller Erhabenheit auf und erhielt schon früh einen Sinn für die Größe, Macht und Majestät Gottes. Die Berichte über die Heldentaten, die in seinen heimatlichen Bergen vollbracht wurden, entfachten in ihm jugendliche Sehnsüchte. Zu Füßen seiner frommen Großmutter lauschte er den wenigen kostbaren Erzählungen aus der Bibel, die ihr aus Legenden und Überlieferungen der Kirche zu Ohren gekommen waren. Gespannt hörte er von den großen Taten der Patriarchen und Propheten, von den Hirten, die ihre Herden auf den Hügeln von Palästina weideten, wo Engel mit ihnen sprachen, vom Kind zu Bethlehem und dem Mann auf Golgatha.

Wie Hans Luther wollte auch Zwinglis Vater seinem Sohn eine gute Ausbildung ermöglichen. Der Knabe musste daher sein heimatliches Tal schon bald verlassen. Sein Geist entwickelte sich rasch und schon bald stellte sich die Frage, wo es Lehrer gab, die sachkundig genug waren, um ihn auszubilden. So kam er mit 13 Jahren nach Bern, wo sich damals die bedeutendste Schule der Schweiz befand. Hier geriet er jedoch in eine Gefahr, die seine vielversprechende Zukunft bedrohte. Mönche bemühten sich beharrlich, ihn zum Eintritt in ein Kloster zu bewegen. Die Dominikaner- und Franziskanermönche konkurrierten um die

Gunst des Volks. Mit glänzendem Schmuck in ihren Kirchen, prunkvollen Zeremonien und dem Zauber berühmter Reliquien und Wunder wirkender Bilder wetteiferten sie miteinander.

Die Berner Dominikaner erkannten, dass ihnen Profit und Ehre winkten, wenn sie diesen talentierten jungen Studenten für sich gewinnen könnten. Er war noch sehr jung, besaß eine natürliche Schreib- und Redegabe und hatte einzigartige musikalische und dichterische Fähigkeiten. Das würde ihre Gottesdienste für das Volk weit anziehender machen als all ihr Pomp und ihre Zurschaustellung und die Einnahmen für ihren Orden würden steigen. Mit List und Schmeichelei versuchten sie Zwingli zum Eintritt in ihr Kloster zu verleiten. Luther hatte sich während seiner Studienzeit in eine Klosterzelle zurückgezogen. Hätte ihn Gottes Vorsehung nicht dort herausgeholt, wäre er der Welt verloren gegangen. Doch Zwingli sollte gar nicht erst in diese Gefahr geraten. Glücklicherweise kamen seinem Vater die Absichten der Klosterbrüder zu Ohren. Er dachte nicht daran, seinem Sohn zu erlauben, das untätige und nutzlose Leben der Mönche zu teilen. Weil er erkannte, dass hier die zukünftige Brauchbarkeit seines Sohnes auf dem Spiel stand, wies er ihn an, unverzüglich nach Hause zurückzukehren.

Der junge Mann gehorchte, blieb jedoch nicht sehr lange in seinem heimatlichen Tal. Er nahm seine Studien wieder auf und begab sich wenig später nach Basel. Hier hörte Zwingli zum ersten Mal die gute Nachricht von der freien Gnade Gottes. Thomas Wyttenbach (1472–1526, Reformator von Biel), ein Lehrer der alten Sprachen, wurde durch das Studium des Griechischen und Hebräischen zur Heiligen Schrift geführt, und Strahlen göttlichen Lichts fielen durch seine Lehrtätigkeit auch auf seine Studenten. Er erklärte, es gebe eine ältere und wertvollere Wahrheit als die Theorien der Lehrer und Philosophen. (SZLW, I, 41) »Er widerlegte den päpstlichen Ablass und die Verdienstlichkeit der sogenannten guten Werke und behauptete, der Tod Christi sei die einzige Genugtuung für unsere Sünden.« (WHKG, XXI, 452) Für Zwingli waren diese Worte der erste Lichtstrahl in der Morgendämmerung.

ÄHNLICHE ERKENNTNISSE WIE LUTHER

Zwingli wurde bald von Basel abberufen, um sein Lebenswerk zu beginnen. Seine erste Pfarrstelle trat er im gebirgigen Kanton Glarus an, unweit seiner toggenburgischen Heimat. Nach seiner Priesterweihe »widmete er sich mit ganzer Kraft der Erforschung der göttlichen Wahrheit, denn er wusste«, sagte ein Mitreformator (Oswald Myconius [1488–1552]), »wie vieles derjenige zu wissen nötig hat, welchem das Amt anvertraut ist, die Herde Christi zu lehren« (WHP, VIII, 5; vgl. SZLW, 45). Je mehr er in der Heiligen Schrift forschte, desto deutlicher erkannte er den Gegensatz zwischen ihrer Wahrheit und den Irrlehren Roms. Er nahm die Bibel als das einzig wahre und unfehlbare Wort Gottes an. Zwingli erkannte, dass sie ihr eigener Ausleger sein musste, und wagte es deshalb nicht, vorgefasste Ansichten oder Lehren anhand der Bibel beweisen zu wollen, sondern hielt es für seine Pflicht, ihre klaren und offensichtlichen Lehren zu erforschen. Jedes Hilfsmittel versuchte er einzusetzen, um ein volles und richtiges Verständnis ihrer Aussagen zu bekommen. Er flehte um den Beistand des Heiligen Geistes, der sich nach seiner Überzeugung allen offenbart, die ihn ernsthaft und unter Gebet suchen.

Zwingli sagte: »Die Schrift kommt von Gott, nicht von Menschen, und eben Gott, der Gott, der erleuchtet, der wird auch dir zu verstehen geben, dass seine Rede von Gott kommt. … Das Wort Gottes fehlt nicht, es ist klar, es erklärt sich selbst, und erleuchtet die menschliche Seele mit allem Heil und Gnaden, tröstet sie in Gott, demütigt sie, sodass sie sich selbst vergisst und Gott ergreift.« Zwingli hatte die Wahrheit dieser Worte an sich selbst erfahren. Später spricht er noch einmal von dieser Erfahrung: »Als ich vor sieben oder acht Jahren anfing, mich ganz auf die Heilige Schrift zu verlassen, wollte mir die Philosophie und Theologie der Zänker immerdar ihre Einwürfe machen. Da kam ich zuletzt dahin, dass ich dachte: ›Du musst alle Lüge lassen und die Meinung Gottes lauter aus seinem eigenen einfachen Wort lernen‹. Da fing ich an, Gott um sein Licht zu bitten, und die Schrift begann, für mich viel heller zu werden.« (WHP, VIII, 6; vgl. SSZ, I, 81.79)

Die Lehre, die Zwingli verkündigte, hatte er nicht von Luther übernommen. Es war die Lehre Christi. »Predigt Luther Christus«, schrieb der schweizerische Reformator, »so tut er eben dasselbe, was ich tue. Wenn er auch viel mehr Menschen zu Christus gebracht hat als ich. Das ist unwichtig. Ich will keinen anderen Namen tragen als den von Christus, dessen Kriegsmann ich bin und der allein mein Hauptmann ist. ... Nie habe ich einen Buchstaben an Luther geschrieben, noch Luther mir. Und warum? ... Damit klar würde, dass der Geist Gottes mit sich selbst im Reinen ist, da wir beide, ohne Kontakt zu haben, die Lehre Christi in solcher Übereinstimmung lehren.« (DAGR, VII, 9; vgl. SSZ, I, 256 ff.)

EINSICHT IN DAS KLOSTERLEBEN

1516 wurde Zwingli eine Pfarrstelle im Kloster Einsiedeln angeboten. Hier erhielt er einen klareren Einblick in die Verdorbenheit Roms, und von hier aus reichte sein reformatorischer Einfluss weit über sein heimatliches Alpenland hinaus. Ein angeblich Wunder wirkendes Bildnis der Jungfrau Maria war eine der Hauptattraktionen von Einsiedeln. Über der Eingangspforte des Klosters war zu lesen: »Hier findet man volle Vergebung der Sünden.« (DAGR, VIII, 142; WHKG, IV, 142) Das ganze Jahr hindurch kamen Pilger zum Gnadenbild der Jungfrau. Doch zum jährlichen Fest ihrer Weihe strömten große Menschenmengen aus allen Gegenden der Schweiz und sogar aus Frankreich und Deutschland herbei. Dieser Anblick betrübte Zwingli sehr, und er nutzte die Gelegenheit, diesen im Aberglauben gefangenen Menschen die Freiheit durch das Evangelium zu verkünden.

»Meint nicht«, sagte er, »dass Gott in diesem Tempel eher ist als an irgendeinem Ort der Schöpfung. Wo auch immer das Land liegt, in dem ihr wohnt, Gott ist unter euch und hört euch. ... Können unnütze Werke, lange Wallfahrten, Geschenke und Bitten an die Jungfrau oder die Heiligen euch die Gnade Gottes sichern? ... Was hilft das Plappern von Worten, mit denen wir unsere Gebete schmücken? Welchen Wert haben eine glänzende Kapuze, eine säuberlich geschorene Glatze, mit Gold geschmückte Schuhe? ... Gott schaut das Herz an, aber unsere Herzen sind fern von ihm ...« »Christus«, sagte er, »der einmal für uns am Kreuz geopfert wurde, ist das Opfer, das Sühne gebracht hat für die Gläubigen bis in alle Ewigkeit.« (DAGR, VIII, 5; vgl. SSZ, I, 216.232)

Vielen Hörern waren solche Lehren unangenehm. Für sie war es eine bittere Enttäuschung, zu hören, dass sie ihre mühsame Reise vergeblich unternommen hatten. Sie konnten nicht fassen, dass ihnen die Vergebung durch Christus frei angeboten wurde. Sie waren mit dem alten Weg zum Himmel, den Rom für sie ausgesucht hatte, zufrieden und schreckten vor einer Suche nach etwas Besserem zurück. Es war leichter, ihre Seligkeit den Priestern und dem Papst anzuvertrauen als nach der Reinheit des Herzens zu trachten.

Andere hingegen freuten sich über die frohe Nachricht von der Erlösung durch Christus. Die Einhaltung von Regeln, die ihnen Rom auferlegte, brachte ihnen keinen Seelenfrieden, und sie nahmen im Glauben das Blut ihres Erlösers zu ihrer Versöhnung an. Zu Hause erzählten sie anderen von dem kostbaren Licht, das sie empfangen hatten. So verbreitete sich die Wahrheit von Dorf zu Dorf und von Stadt zu Stadt und die Zahl der Pilger, die zum Gnadenbild der Jungfrau kamen, nahm drastisch ab. Die Opfergaben gingen zurück und damit verringerte sich auch Zwinglis Gehalt, welches aus diesen Einkünften bezahlt wurde. Das löste bei ihm jedoch nur Freude aus, denn er erkannte, dass die Macht des Fanatismus und des Aberglaubens gebrochen wurde.

LEUTPRIESTER AM GROSSMÜNSTER IN ZÜRICH

Die Kirchenführer sahen sehr wohl, was Zwingli bewirkte, doch vorerst warteten sie ab und schritten nicht ein. Noch hofften sie, ihn für ihre Sache gewinnen zu können und umwarben ihn mit Schmeichelei. Unterdessen gewann jedoch die Wahrheit die Herzen des Volkes.

In Einsiedeln wurde Zwingli auf eine größere Aufgabe vorbereitet und schon bald sollte er sie in Angriff nehmen. Nach drei Jahren wurde er im Dezember 1518 als Leutpriester an das Großmünster nach Zürich berufen. Zürich war damals die bedeutendste Stadt der Schweizerischen Eidgenossenschaft und ihr Einfluss war weit herum spürbar. Die Chorherren, auf deren Einladung Zwingli nach Zürich kam, hielten aber nichts von Neuerungen und gaben ihm die folgenden Anweisungen:

»Du musst nicht versäumen«, sagten sie, »für die Einkünfte des Domkapitels zu sorgen und auch das Geringste nicht verachten. Ermahne die Gläubigen von der Kanzel und dem Beichtstuhle, alle Abgaben und Zehnten zu entrichten und durch Gaben ihre Anhänglichkeit an die Kirche zu bewähren. Auch die Einkünfte von Kranken, von Opfern und jeder andern kirchlichen Handlung musst du zu mehren suchen. Auch gehört zu deinen Pflichten die Verwaltung des Sakramentes, die Predigt und die Seelsorge. In mancher Hinsicht, besonders in der Predigt, kannst du dich durch einen Vikar ersetzen lassen. Die Sakramente brauchst du nur den Vornehmen, wenn sie dich auffordern, reichen; du darfst es sonst ohne Unterschied der Personen nicht tun.« (DAGR, VIII, 6; vgl. SSZ, 227; HHE, IV, 63-85)

Zwingli hörte dieser Dienstanweisung ruhig zu. Dann dankte er für die Ehre, in ein so hohes Amt berufen worden zu sein, und erklärte, wie er dieses auszuführen gedenke: »Das Leben Christi, des Erlösers«, sagte er, »ist zu lange den Leuten vorenthalten worden. Ich werde vom ganzen Evangelium des Matthäus predigen ... und nur aus der Quelle der Schrift nehmen und ihre Tiefen ergründen, einen Abschnitt mit dem anderen vergleichen und nach Verständnis durch dauerndes und ernstes Gebet suchen. Zur Ehre Gottes, seines eingeborenen Sohnes, der wahren Erlösung der Menschen und der Erbauung im wahren Glauben, dem ich meinen Dienst weihen werde.« (DAGR, VIII, 6; vgl. MZ, 6; BRGE, I, 12) Obwohl etliche der Chorherren diesen Plan nicht billigten und versuchten, Zwingli davon abzubringen, blieb er standhaft und erklärte, er wolle keine neue Methode einführen, sondern die alte Methode fortsetzen, welche die Kirche in früheren und reineren Zeiten benutzt hatte.

Es war bereits Interesse an der Wahrheit, die er lehrte, erwacht, und das Volk strömte in großer Zahl zu seinen Predigten. Unter den Zuhörern waren viele, die schon lange keinen Gottesdienst mehr besucht hatten. Zwingli begann seinen Gottesdienst, indem er die Evangelien öffnete und seinen Zuhörern die inspirierten Berichte über das Leben, die Lehren und den Tod Christi erklärte. Wie schon in Einsiedeln stellte er hier das Wort Gottes als die einzig unfehlbare Autorität und den Tod Christi als das einzig vollkommene Opfer dar. »Zu Christus«, sagte er, »möchte ich euch führen – zu Christus, der wahren Quelle der Erlösung.« (DAGR, VIII, 6; SSZ, VII, 142 ff.) Leute aus allen Volksschichten – vom Staatsmann und Gelehrten bis zum Handwerker und Bauern – scharten sich um diesen Prediger. Seine Worte wurden mit großem Interesse aufgenommen. Er verkündigte nicht nur das Geschenk der Erlösung, sondern tadelte auch furchtlos die Missstände seiner Zeit. Nach einem Predigtbesuch im Großmünster priesen manche Gott. »Dieser ist ein rechter Prediger der Wahrheit, der wird sagen, wie die Sachen stehn, und als ein Mose uns aus Ägypten führen.« (DAGR, VIII, 6)

Am Anfang waren die Leute begeistert von seinen Auftritten, doch mit der Zeit regte sich Widerstand. Die Mönche begannen sein Werk zu behindern und seine Lehren zu verurteilen. Viele überschütteten ihn mit Hohn und Spott, andere wurden frech und drohten ihm. Aber Zwingli ertrug all dies mit Geduld und sagte: »Wenn man die Bösen zu Christus führen will, so muss man bei manchem die Augen zudrücken.« (DAGR, VIII, 6; vgl. SCR, 155)

GUTE SAAT UND UNKRAUT

Um diese Zeit kam ein neues Instrument zur Förderung der Reformation ins Spiel. Ein Freund des evangelischen Glaubens aus Basel, der Humanist Beatus Rhenanus, sandte einen gewissen Lucian mit einigen Schriften Luthers nach Zürich. Er sah im Verkauf dieser Bücher ein mächtiges Mittel zur Verbreitung des geistlichen Lichtes. An Zwingli schrieb er: »Mach sicher, ob dieser Mann genügend Klugheit und Geschick besitzt, wenn ja, lass ihn Luthers Schriften, vor allem die für Laien gedruckte Auslegung des Gebets des Herrn, in allen Städten, Flecken, Dörfern, auch von Haus zu Haus verbreiten. Je mehr sie bekannt sind, desto mehr

Käufer werden sie finden.« (DAGR, VIII, 6; SSZ, VII, 81, 02. Juli 1519) Auf diese Weise fand das Licht Eingang in die Herzen vieler Menschen.

Doch wenn Gott sich anschickt, die Stricke der Unwissenheit und des Aberglaubens zu lösen, hält Satan die Menschen mit großer Macht in der Dunkelheit fest und zieht die Fesseln noch stärker an. In den verschiedensten Ländern machten sich Männer auf, dem Volk Vergebung und Rechtfertigung durch das Blut Christi zu verkündigen. Gleichzeitig verstärkte Rom seine Anstrengungen, allen Christen die Möglichkeit zu bieten, für Geld Vergebung zu erhalten.

Jede Sünde hatte ihren Preis und den Menschen wurde die Genehmigung zur Ausübung eines jeden Verbrechens erteilt, wenn nur die Schatztruhe der Kirche gefüllt blieb. So gingen beide Bewegungen voran – die eine bot Vergebung der Sünden durch Geld an, die andere Vergebung durch Christus. Rom erlaubte die Sünde und machte sie zur Quelle seiner Einkünfte; die Reformatoren verurteilten sie und wiesen auf Christus als Versöhner und Befreier.

In Deutschland wurde der Ablassverkauf den Dominikanermönchen anvertraut, wobei der berüchtigte Tetzel die führende Rolle spielte. In der Schweiz lag er in Händen der Franziskaner unter dem italienischen Mönch Bernardin Samson. Samson hatte der Kirche bereits gute Dienste geleistet und in Deutschland und der Schweiz große Geldbeträge gesammelt, welche die päpstlichen Schatzkammern füllten. Nun durchquerte er die Schweiz und zog große Menschenmassen an. Arme Bauern beraubte er ihres dürftigen Einkommens und bei den Reichen holte er kostbare Geschenke. Doch der Einfluss der Reformation machte sich bemerkbar. Obwohl der Ablasshandel nicht gänzlich versiegte, gingen die Einnahmen deutlich zurück. Zwingli war zu dieser Zeit noch in Einsiedeln. Kurz nach seiner Einreise in die Schweiz bot Samson seine Ablassbriefe in einem benachbarten Ort an. Als der Reformator von Samsons Mission hörte, widersetzte er sich ihm unverzüglich. Die beiden begegneten sich zwar nicht, aber Zwingli stellte die Anmaßungen des Mönchs mit einem solchen Erfolg bloß, dass Samson die Gegend verlassen musste.

Auch in Zürich predigte Zwingli eifrig gegen die Ablasskrämer, und als sich Samson der Stadt näherte, gab ihm ein Ratsbote die Anweisung, er solle weiterziehen. Durch eine List gelang es ihm zwar, in die Stadt zu gelangen, er wurde jedoch fortgeschickt, ohne einen einzigen Ablasszettel verkauft zu haben. Kurz darauf verließ er die Schweiz. (SSZ, I, 144 ff.)

IM ANGESICHT DES SCHWARZEN TODES

1519 wurde die Schweiz von der Pest, dem Schwarzen Tod, heimgesucht. Diese Seuche gab der Reformation starken Auftrieb. Als die Menschen der Seuche unmittelbar gegenüberstanden, erkannten viele, wie nutzlos die Ablasszettel waren, die sie kürzlich gekauft hatten, und suchten nach einem sichereren Grund für ihren Glauben. In Zürich wurde auch Zwingli auf das Krankenlager geworfen. Die Hoffnung auf seine Genesung war so klein, dass bald das Gerücht umging, er sei tot. In dieser schweren Stunde blieben sein Mut und seine Hoffnung unerschütterlich. Im Glauben schaute er auf das Kreuz von Golgatha und vertraute dem großen Versöhnungsangebot für die Sünde. Nachdem er dem Tod entronnen war, predigte er das Evangelium mit größerem Eifer als jemals zuvor und in seinen Worten lag eine ungewohnte Vollmacht. Mit großer Freude hießen die Menschen ihren geliebten Pfarrer willkommen, der dem Grab so nahe gewesen war. Auch sie hatten Kranke und Sterbende begleitet und schätzten nun die Gute Nachricht wie nie zuvor.

Die Wahrheiten des Evangeliums wurden für Zwingli noch klarer und er erlebte dessen erneuernde Kraft noch tiefgreifender. Nun befasste er sich mit dem Sündenfall und dem Erlösungsplan. Er sagte: »In Adam sind wir alle tot und in Verderbnis und Verdammnis versunken.« (WHP, VIII, 6; SSZ, IX, 9) »Christus ... hat für uns eine ewige Erlösung erkauft. ... Sein Leiden ist ewig gut und fruchtbar, tut der göttlichen Gerechtigkeit in Ewigkeit für die Sünden aller Menschen genug, die sich sicher und gläubig darauf verlassen.« Doch er lehrte deutlich, dass es den Menschen unter der Gnade Christi nicht freistehe, weiterhin zu sündigen. »Siehe, wo der wahre Glaube ist, da ist Gott. Wo aber Gott ist, da geschieht nichts Arges … da fehlt es nicht an guten Werken.« (DAGR, VIII, 9; SSZ, I, 5, 182 ff.)

Das Interesse an Zwinglis Predigten war enorm. Um ihn zu hören strömten so viele Menschen ins Großmünster, dass die Kirche bis zum Bersten voll war. Schrittweise entfaltete er die Wahrheit vor seinen Zuhörern. Er behandelte dabei immer nur so viel, wie sie fassen konnten und achtete sorgfältig darauf, nicht schon zu Beginn Themen zu wählen, die sie aufschreckten und Vorurteile weckten. Seine Kernaufgabe bestand darin, ihre Herzen für die Lehren Christi zu gewinnen, sie durch die Liebe Christi sanftmütig zu machen und ihnen das Beispiel Jesu vor Augen zu malen. Sobald die Menschen die Grundsätze des Evangeliums annahmen, verwarfen sie folgerichtig ihre abergläubischen Vorstellungen und Praktiken.

DIE FRÜCHTE DES EVANGELIUMS: FRIEDE IN DER STADT

Langsam machte die Reformation in Zürich Fortschritte, was ihre Gegner alarmierte und zu aktivem Widerstand anregte. In Worms hatte ein Jahr zuvor der Mönch aus Wittenberg Papst und Kaiser mit seinem Nein widerstanden. Nun deutete alles darauf hin, dass sich in Zürich ein ähnlicher Widerstand gegen die päpstlichen Machtansprüche aufbaute. Zwingli wurde wiederholt angegriffen. In den katholischen Kantonen war es hin und wieder vorgekommen, dass Nachfolger des Evangeliums auf dem Scheiterhaufen endeten. Doch das genügte nicht. Der Lehrer der Ketzerei selbst musste zum Schweigen gebracht werden. Daher sandte der Bischof von Konstanz drei Abgesandte zum Stadtrat von Zürich, die Zwingli beschuldigen sollten, er lehre das Volk, die Gesetze der Kirche zu übertreten und gefährde damit den Frieden sowie Recht und Ordnung in der Gesellschaft. Sollte die Autorität der Kirche nicht beachtet werden, so argumentierte man, wäre das Ergebnis allgemeine Gesetzlosigkeit. Zwingli antwortete: »Ich habe schon beinahe vier Jahre lang das Evangelium Jesu mit saurer Mühe und Arbeit gepredigt. Zürich

ist ruhiger und friedlicher als jeder andere Ort der Eidgenossenschaft, und dies schreiben alle guten Bürger dem Evangelium zu.« (DAGR, VIII, 11; vgl. WHKG, IV, 226/227)

Die Abgesandten des Bischofs hatten die Stadträte ermahnt, Rom treu zu bleiben, denn außerhalb dieser Kirche gäbe es kein Heil. Zwingli erwiderte: »Lasst euch, liebe Herrn und Bürger, durch diese Ermahnung nicht auf den Gedanken bringen, dass ihr euch jemals von der Kirche Christi gesondert habt. Ich glaube zuversichtlich, dass ihr euch noch wohl zu erinnern wisst, was ich euch in meiner Erklärung über Matthäus gesagt habe, dass jener Fels, welcher dem ihn redlich bekennenden Jünger den Namen Petrus gab, das Fundament der Kirche sei. In jeglichem Volk, an jedem Ort, wer mit seinem Munde Jesum bekennt und im Herzen glaubt, Gott habe ihn von den Toten auferweckt, wird selig werden. Es ist gewiss, dass niemand außer derjenigen Kirche selig werden kann.« (DAGR, VIII, 11; WHKG, IV, 233) Die Folge dieser Verhandlung war, dass sich bald darauf einer der drei Abgesandten des Bischofs zum reformierten Glauben bekannte (Johannes Wanner [SSZ I, 212]).

Der Stadtrat lehnte es ab, Maßnahmen gegen Zwingli zu ergreifen, und Rom rüstete sich zu einem neuen Angriff. Als der Reformator von den Plänen der Anhänger des Papsttums hörte, erklärte er: Lasst sie nur kommen; ich fürchte sie weniger »wie ein hohes Ufer die Wellen drohender Flüsse« (WHP, VIII, 6; vgl. SSZ, VII, 202, 22. Mai 1522). Die Anstrengungen der Geistlichkeit förderten nur noch die Sache, die sie vernichten wollten. Die Wahrheit breitete sich weiter aus, und in Deutschland fassten ihre Anhänger nach dem Verschwinden Luthers neuen Mut, als sie vom Fortschritt des Evangeliums in der Schweiz hörten.

Als sich die Reformation in Zürich festigte, wurden auch ihre Früchte immer deutlicher sichtbar: die Sittenlosigkeit ging zurück und Ordnung und friedliches Zusammenleben wurden gefördert. Zwingli konnte schreiben: »Der Friede weilt in unserer Stadt. ... Zwischen uns gibt es keine Spannung, keine Zwietracht, keinen Neid, keine Zänkereien und

Gemälde: DIE SCHLACHT | Zwinglis Tod

Streitigkeiten. Wem könnte man aber diese Übereinstimmung der Gemüter mehr zuschreiben als wie dem höchsten, besten Gott?« (WHP, VIII, 6; vgl. SSZ, VII, 389, 5. April 1525)

Die Erfolge, welche die Reformation vorzuweisen hatte, reizte die Anhängerschaft Roms noch mehr, sie zu vernichten. Nachdem sie eingesehen hatten, dass eine Verfolgung Luthers in Deutschland wenig brachte, entschloss man sich, der Reformation mit ihren eigenen Waffen zu begegnen. Es sollte ein Streitgespräch mit Zwingli stattfinden. Rom nahm die Sache selbst in die Hand, und weil man sich den Sieg sichern wollte, bestimmte man nicht nur den Ort der Auseinandersetzung, sondern auch die Richter, die zwischen den streitenden Parteien urteilen sollten. Konnte man Zwingli erst einmal in die Hand bekommen, würde man schon dafür sorgen, dass er ihnen nicht entwischte. Wenn der Anführer erst einmal zum Schweigen gebracht würde, könnte die Bewegung rasch zerschlagen werden. Diese Absicht wurde jedoch sorgfältig geheim gehalten.

DIE DISPUTATION ZU BADEN

Das Streitgespräch sollte in Baden (Kanton Aargau) stattfinden, aber Zwingli war nicht zugegen. Der Stadtrat von Zürich misstraute den Absichten der Anhänger Roms. Gewarnt durch das Verbrennen evangelischer Zeugen auf Scheiterhaufen in den päpstlich gesinnten Kantonen, verbot er seinem Prediger, sich der Gefahr auszusetzen. In Zürich war er bereit, sich allen Vertretern Roms zu stellen. Aber in Baden, wo erst kürzlich das Blut von Märtyrern der Wahrheit geflossen war, hätte er den sicheren Tod gefunden. Ökolampad, der Reformator Basels, und Berchtold Haller, der Reformator Berns, wurden ausgewählt, den Reformator zu vertreten, während der bekannte Dr. Johannes Eck mit einer Schar päpstlicher Gelehrter die Seite Roms vertrat.

Wenn auch Zwingli bei dieser »Badener Disputation« fehlte, war sein Einfluss doch spürbar. Die Schreiber wurden durch die Vertreter des Papsttums bestimmt, und allen anderen Teilnehmern war jede Art von

Aufzeichnung bei Todesstrafe verboten. Dennoch wurde Zwingli täglich über die Reden, die in Baden gehalten wurden, genauestens informiert. Ein Student, der den Verhandlungen beiwohnte, schrieb abends die vorgebrachten Argumente auf. Zwei weitere Studenten trugen die Verhandlungsberichte sowie die täglichen Briefe Ökolampads an Zwingli nach Zürich. Die Antworten des Reformators enthielten Ratschläge und Anregungen. Sie wurden nachts geschrieben und frühmorgens durch die beiden Kuriere nach Baden zurückgebracht. Um der Wachsamkeit der Torhüter an den Stadttoren zu entgehen, trugen diese Boten Körbe mit Federvieh auf ihren Köpfen und konnten so ungehindert die Stadt betreten.

So stellte sich Zwingli seinen verschlagenen Gegnern zum Kampf. »Er hat«, schreibt Myconius, »während des Gesprächs durch Nachdenken, Wachen, Raten, Ermahnen und Schreiben mehr gearbeitet, als wenn er der Disputation selbst beigewohnt hätte« (DAGR, XI, 13; vgl. SSZ, VII, 517; MZ, 10).

Siegesgewiss waren die Vertreter Roms in ihren kostbarsten Gewändern und mit funkelnden Juwelen nach Baden gekommen. Sie lebten in Saus und Braus und ihre Tafeln waren mit den köstlichsten Leckerbissen und ausgesuchtesten Weinen gedeckt. Als Ausgleich zu ihren geistlichen Pflichten wurde gefeiert und gezecht. In auffallendem Gegensatz dazu stand der Auftritt der Reformatoren, die vom Volk kaum höher eingeschätzt wurden als eine Gruppe von Bettlern, deren anspruchslose Mahlzeiten sie nur kurze Zeit bei Tisch hielten. Der Hauswirt Ökolampads nahm die Gelegenheit wahr, ihn in seinem Zimmer zu beobachten, und fand ihn regelmäßig entweder beim Studium oder im Gebet. Deshalb sagte er sehr verwundert: »Man muss gestehen, das ist ein sehr frommer Ketzer.« (DAGR, XI, 13, 271; vgl. BRGE, I, 351)

Bei der Versammlung betrat Eck überheblich »eine prächtig verzierte Kanzel; der einfach gekleidete Ökolampad musste ihm gegenüber auf ein grob gearbeitetes Gerüst treten« (DAGR, XI, 13, 270). Ecks schallende Stimme und seine grenzenlose Zuversicht waren unverkennbar. Die

Aussicht auf Gold und Ruhm belebte seinen Eifer, denn dem Verteidiger der Tradition war eine ansehnliche Belohnung zugesichert worden. Wenn er keine Argumente hatte, benutzte er Beleidigungen und sogar Flüche.

Ökolampad war ein bescheidener Mann mit wenig Selbstvertrauen. Vom Streit eingeschüchtert brachte er sich mit der feierlichen Erklärung ein: »Ich akzeptiere keine andere Regel zur Beurteilung als das Wort Gottes.« (DAGR, XI, 13) Obwohl sein Auftreten bescheiden und geduldig war, erwies er sich als fähig und tapfer. »Eck, der mit der Schrift nicht zurechtkommen konnte, berief sich immer wieder auf Überlieferung und Herkommen. Ökolampad antwortete, auf die Heilige Schrift hinweisend: Über allen Übungen steht in unserem Schweizerlande das Landrecht. Unser Landbuch aber ist [in Glaubenssachen] die Bibel.« (DAGR, XI, 13; vgl. HLSV, II, 94)

Der Kontrast zwischen den beiden Gegnern blieb nicht ohne Wirkung. Die ruhige und klare Argumentation und die behutsame und bescheidene Darlegung des Reformators gewannen die Gemüter der Zuhörer. Aber von den prahlerisch und lautstark vorgetragenen Thesen Ecks wandten sie sich mit Entsetzen ab.

Die Disputation dauerte achtzehn Tage. Mit großer Zuversicht beanspruchten die Vertreter des Papsttums am Ende den Sieg für sich. Die meisten Abgesandten ergriffen Partei für Rom und die Tagung ließ verlauten, dass die Reformatoren besiegt worden wären und zusammen mit ihrem Anführer Zwingli aus der Kirche ausgeschlossen seien. Doch die Früchte dieser Tagung offenbarten, welche Seite tatsächlich überlegen war, denn die Streitgespräche verliehen der protestantischen Sache starken Auftrieb. Nur wenig später bekannten sich die wichtigen Städte Bern und Basel zur Reformation.

KAPITEL 6

FORTSCHRITT DER REFORMATION IN DEUTSCHLAND

Ganz Deutschland war bestürzt über Luthers geheimnisvolles Verschwinden. Überall forschte man nach seinem Verbleib. Die wildesten Gerüchte wurden in Umlauf gesetzt, und viele glaubten, er sei ermordet worden. Großes Wehklagen erhob sich, nicht nur unter seinen erklärten Freunden, sondern auch unter Tausenden, die sich nicht öffentlich zur Reformation bekannt hatten. Manche legten einen feierlichen Eid ab, seinen Tod zu rächen.

DAS WERK GEHT VORAN

Die römisch-katholischen Führer nahmen mit Schrecken wahr, wie sehr die Stimmung gegen sie umschlug. Obwohl sie zunächst über Luthers vermeintlichen Tod gejubelt hatten, wollten sie sich nun dem Zorn des Volkes entziehen. Luthers Feinde waren zu der Zeit, als er unter ihnen seine kühnsten Taten vollbrachte, weit weniger beunruhigt, als jetzt, wo er verschwunden war. Seine wütenden Gegner hatten versucht, den

Gemälde: DIE WARTBURG | Martin Luther und die deutsche Bibelübersetzung

mutigen Reformator zu vernichten, doch obwohl dieser jetzt zu einem hilflosen Gefangenen geworden war, fürchteten sie sich weiterhin. »Der einzige Weg, uns selbst zu retten«, meinte einer, »ist, dass wir Fackeln anzünden und in der Welt nach Luther suchen, um ihn dem Volke wiederzugeben, das nach ihm verlangt.« (DAGR, IX, 1, 5) Der Erlass des Kaisers schien wirkungslos zu sein, und die päpstlichen Gesandten waren entrüstet, als sie sahen, dass ihnen weit weniger Aufmerksamkeit geschenkt wurde als dem Schicksal Luthers.

Die Nachricht, dass er zwar gefangen, aber in Sicherheit sei, beschwichtigte nicht nur die Ängste der Menschen, sondern entfachte ihre Begeisterung für ihn. Seine Schriften wurden eifriger gelesen als zuvor. Immer mehr Zeitgenossen schlossen sich dem mutigen Mann an, der gegen eine solch ungeheuerliche Übermacht das Wort Gottes verteidigte. Die Reformation gewann ständig an Kraft, und die Saat, die Luther ausgestreut hatte, ging überall auf. In seiner Abwesenheit konnte ein Werk vollbracht werden, das während seiner Anwesenheit unmöglich gewesen wäre. Nachdem ihr großer Wegbereiter verschwunden war, spürten andere Mitarbeiter ihre Verantwortung. Mit frischem Glauben und großem Eifer gingen sie voran und setzten alles in ihrer Macht Stehende daran, dass dieses so edelmütig begonnene Werk nicht beeinträchtigt wurde.

FANATISMUS

Aber auch Satan war nicht müßig. Er plante, was er schon bei anderen Reformbewegungen versucht hatte – das Volk zu betrügen und zu vernichten, indem er den Menschen anstelle des Originals eine Fälschung anbot. So wie im ersten Jahrhundert der christlichen Gemeinde falsche Christusse aufkamen, so standen im 16. Jahrhundert falsche Propheten auf.

Einige Männer, die durch die Erregung in der religiösen Welt tief ergriffen waren, bildeten sich ein, der Himmel habe ihnen besondere Erkenntnisse offenbart. Sie erklärten, von Gott beauftragt worden zu sein, die Reformation zu Ende zu führen, und behaupteten, dass sie durch Luther zu schwach begonnen habe. In Wirklichkeit aber zerstörten sie das Werk, das Luther aufgebaut hatte. Sie verwarfen den zentralen Grundsatz, das eigentliche Fundament der Reformation, welcher festschrieb, dass Gottes Wort als Maßstab für Glauben und Handeln genügt. Sie ersetzten diese unfehlbare Richtschnur durch den wechselhaften und unsicheren Maßstab ihrer eigenen Gefühle und Empfindungen. Indem sie den großen Prüfstein für Irrtum und Betrug beseitigten, machten sie für Satan den Weg frei, die Gemüter nach seinem Gutdünken zu lenken.

Einer dieser Propheten behauptete, vom Engel Gabriel unterrichtet worden zu sein. Ein Student, der sich mit ihm zusammentat, gab sein Studium auf und erklärte, von Gott selbst die Weisheit zur Auslegung der Heiligen Schrift erhalten zu haben. Andere, die von Natur aus zum Fanatismus neigten, schlossen sich ihnen an. Das Vorgehen dieser Enthusiasten rief große Aufregung hervor. Überall hatten Luthers Predigten beim Volk das Verlangen nach einer Reform geweckt, und nun wurden einige aufrichtige Seelen durch die anmaßenden Behauptungen dieser neuen Propheten in die Irre geführt.

Die Anführer dieser Bewegung gingen nach Wittenberg, wo sie ihre Ansprüche Melanchthon und seinen Mitarbeitern aufdrängten. Sie sagten: »Wir sind von Gott gesandt, das Volk zu unterweisen. Wir haben vertrauliche Gespräche mit Gott und wissen, was geschehen wird, mit einem Wort, wir sind Apostel und Propheten und berufen uns auf Dr. Luther.« (DAGR, IX, 7, 42 ff.)

Die Reformatoren waren erstaunt und verwirrt. Ein solches Phänomen war ihnen bisher noch nie begegnet und sie wussten nicht, wie sie damit umgehen sollten. Melanchthon sagte: »Diese Leute sind ungewöhnliche Geister, aber was für Geister? ... Wir wollen auf der einen Seite den Geist Gottes nicht dämpfen, auf der anderen aber auch nicht vom Teufel verführt werden.« (DAGR, IX, 7, 42 ff.)

Schon bald zeigten sich die Früchte dieser neuen Lehre. Die Menschen wurden dazu verleitet, die Bibel zu vernachlässigen oder ganz zu verwerfen. Auf den Schulen herrschte Verwirrung. Es gab Studenten, die jede

Einschränkung verwarfen, ihr Studium abbrachen und die Universität verließen. Die Männer, die sich für fähig hielten, die Reformation zu beleben und zu leiten, brachten sie in Wirklichkeit an den Rand des Ruins. Die Vertreter des Papsttums wurden wieder zuversichtlicher und frohlockten: »Noch ein Versuch … und alles ist zurückgewonnen.« (DAGR, IX, 7, 42 ff.)

ZURÜCK NACH WITTENBERG

Als Luther auf der Wartburg von diesen Ereignissen hörte, sagte er tief besorgt: »Ich habe immer erwartet, dass Satan uns eine solche Plage schicken würde.« (DAGR, IX, 7, 42 ff.) Er erkannte den wahren Charakter dieser falschen Propheten und sah die Gefahr, die der Wahrheit drohte. Der Widerstand des Papstes und des Kaisers hatte in ihm nie solch große Verwirrung und Verzweiflung hervorgerufen wie das, was er jetzt erlebte. Aus den Reihen vorgeblicher Freunde der Reformation kamen ihre schlimmsten Feinde. Gerade die Wahrheiten, die ihm so große Freude und so viel Trost bereitet hatten, wurden nun dazu missbraucht, um in der Kirche Zwiespalt und Verwirrung zu stiften.

Der Heilige Geist hatte Luther bei seinem Erneuerungswerk vorangetrieben, sodass dieser über sich hinauswuchs. Er hatte nicht geplant, eine solche Stellung einzunehmen, wie er sie jetzt besaß, oder solch drastische Veränderungen vorzunehmen. Obwohl er nur ein Werkzeug in der Hand des Allmächtigen war, bangte er oft um den Ausgang seiner Sache. Einmal sagte er: »Wüsste ich, dass meine Lehre einem einfältigen Menschen schadete (und das kann sie nicht, denn sie ist das Evangelium selbst), so möchte ich eher zehn Tode leiden, als nicht widerrufen.« (DAGR, IX, 7, 42 f.)

Nun fiel das Zentrum der Reformation, die Stadt Wittenberg, dem Fanatismus und der Gesetzlosigkeit zum Opfer. Luthers Lehren hatten diesen schrecklichen Zustand sicher nicht verursacht, aber seine Feinde im ganzen Land gaben ihm die Schuld dafür. Verbittert fragte er sich manchmal: »Dahin sollt es mit dem großen Werk der Reformation kommen?« Wenn er aber mit Gott im Gebet rang, zog Friede in sein Herz ein: »Gott hat das Werk angefangen, Gott wird es wohl vollenden«, sagte er, »du wirst es nicht dulden, dass es durch Aberglauben und Fanatismus verderbt wird.« (DAGR, IX, 7, 42 f.) Der Gedanke, noch länger dem Schauplatz dieser Auseinandersetzung fernzubleiben, wurde ihm unerträglich. So entschloss er sich, nach Wittenberg zurückzukehren.

Sofort machte sich Luther auf den gefahrvollen Weg. Noch stand er unter der Reichsacht. Seine Feinde konnten ihn einfach umbringen, Freunden war es verboten, ihm zu helfen und Unterschlupf zu gewähren. Die kaiserliche Regierung hatte gegen seine Anhänger die energischsten Schritte eingeleitet. Doch er sah, dass das Evangeliumswerk in Gefahr war, und im Namen des Herrn zog er furchtlos für die Wahrheit in den Kampf.

Nachdem er seine Absicht erklärt hatte, die Wartburg zu verlassen, schrieb Luther an den Kurfürsten von Sachsen: »Eure Kurfürstliche Gnaden wisse, ich komme gen Wittenberg in gar viel einem höhern Schutz denn des Kurfürsten. Ich hab's auch nicht im Sinne, von Eurer Kurfürstlichen Gnaden Schutz zu begehren. Ja, ich halt, ich wolle Eure Kurfürstlichen Gnaden mehr schützen, denn sie mich schützen könnte. Dazu wenn ich wüsste, dass mich Eure Kurfürstlichen Gnaden könnte und wollte schützen, so wollte ich nicht kommen. Dieser Sache soll noch kann kein Schwert raten oder helfen, Gott muss hier allein schaffen, ohne alles menschliche Sorgen und Zutun. Darum, wer am meisten glaubt, der wird hier am meisten schützen.« (DAGR, IX, 8, 53 f.)

In einem zweiten Brief, den er auf dem Weg nach Wittenberg verfasste, fügte Luther hinzu: »Ich will Eurer Kurfürstlichen Gnaden Ungunst und der ganzen Welt Zorn ertragen. Die Wittenberger sind meine Schafe. Gott hat sie mir anvertraut. Ich muss mich für sie in den Tod begeben. Ich fürchte in Deutschland einen großen Aufstand, wodurch Gott unser Volk strafen will.« (DAGR, IX, 7, 42 f.)

Er handelte vorsichtig und demütig; gleichzeitig aber war er fest entschlossen. »Mit dem Worte«, sagte er, »müssen wir streiten, mit dem Worte stürzen, was die Gewalt eingeführt hat. Ich will keinen Zwang gegen Aber- und Ungläubige. ... Keiner soll zum Glauben und zu dem, was des Glaubens ist, gezwungen werden.« (DAGR, IX, 8, 53 f.)

DAS WORT BRICHT DEN ZAUBER DES FANATISMUS

Bald sprach es sich in Wittenberg herum, dass Luther zurückgekehrt sei und predigen wolle. Von überall strömte das Volk herbei und die Kirche war bis zum Bersten voll. Luther stieg auf die Kanzel, lehrte, mahnte und tadelte mit großer Weisheit und Güte. Wer die Messe mit Gewalt abschaffen wollte, dem gab er Folgendes zu bedenken:

»Die Messe ist ein böses Ding, und Gott ist ihr feind; sie sollte abgetan werden, und ich wollte, dass in der ganzen Welt allein das evangelische Abendmahl gehalten würde. Doch sollte man es niemand entreißen. Wir müssen diese Sache in Gottes Händen lassen. Sein Wort muss arbeiten und nicht wir. Warum, fragst du? Weil ich die Herzen der Menschen nicht in der Hand habe wie der Töpfer den Ton. Wir haben wohl das Recht der Rede, aber nicht das Recht zum Handeln. Das Wort sollen wir predigen, aber den Rest übernimmt Gott. So ich nun Druck ausübe, was würde ich gewinnen? Ein äußerliches Wesen, ein Affenspiel, aber da ist kein gut Herz, kein Glaube, keine Liebe. Wo diese drei fehlen, ist das Werk nichts; ich wollte nicht einen Birnstiel darauf geben. … Also wirkt Gott mit seinem Wort mehr, als wenn du und ich und die ganze Welt alle Gewalt vereinigen würden. Gott will das Herz, und wenn er es bekommt, ist alles gewonnen. …

Predigen will ich's, sagen will ich's, schreiben will ich's; aber zwingen, dringen mit der Gewalt will ich niemand, denn der Glaube will willig und ohne Zwang angezogen werden. Nehmt ein Exempel an mir. Ich bin dem Ablass und allen Anhängern des Papsttums entgegen gewesen, aber mit keiner Gewalt. Ich hab allein Gottes Wort getrieben, gepredigt und geschrieben, sonst hab ich nichts getan. Das hat, wenn ich geschlafen habe … also viel getan, dass das Papsttum also schwach geworden ist, dass ihm noch nie kein Fürst noch Kaiser so viel abgebrochen hat. Ich habe nichts getan, das Wort Gottes hat es alles gehandelt und ausgericht. Wenn ich hätte wollen mit Ungemach fahren, ich wollte Deutschland in ein groß Blutvergießen gebracht haben. Aber was wär es? Ein Verderbnis an Leib und Seele. Ich habe nichts gemacht, ich habe das Wort Gottes lassen handeln.« (DAGR, IX, 8, 53 ff.)

Eine ganze Woche lang predigte Luther Tag für Tag zu einer mit Spannung zuhörenden Menge. Das Wort Gottes brach den Zauber des Fanatismus. Die Macht des Evangeliums führte das irregeleitete Volk auf den Weg der Wahrheit zurück.

Luther hatte kein Verlangen danach, mit den Schwärmern zusammenzutreffen, deren Vorgehensweise so großes Unheil angerichtet hatte. Er kannte sie als Männer ohne gesundes Urteilsvermögen und von ungezügelter Leidenschaft. Sie erhoben den Anspruch, vom Himmel besonders erleuchtet zu sein, und waren nicht bereit, den geringsten Widerspruch, ja nicht einmal einen freundlichen Rat oder Tadel anzunehmen. Sie maßten sich an, höchste Autorität zu besitzen und verlangten, dass alle ihre Ansprüche widerspruchslos anerkannten. Als sie jedoch ein Gespräch mit Luther forderten, war er bereit, ihnen zu begegnen. Dabei entlarvte er ihre Anmaßungen so gründlich, dass diese Hochstapler Wittenberg unverzüglich verließen.

Der Fanatismus war eine Zeit lang eingedämmt, doch einige Jahre später brach er mit noch größerer Heftigkeit und schrecklichen Folgen wieder aus. Über die Führer dieser Bewegung sagte Luther: »Die Heilige Schrift war für sie nichts als ein toter Buchstabe, und alle schrien: ›Geist! Geist!‹ Aber wahrlich, ich gehe nicht mit, wohin ihr Geist sie führt. Der barmherzige Gott behüte mich ja vor einer Kirche, darin lauter Heilige sind. Ich will da bleiben, wo es Schwache, Niedrige, Kranke gibt, welche ihre Sünde kennen und empfinden, welche unablässig nach Gott seufzen und schreien aus Herzensgrund, um seinen Trost und Beistand zu erlangen.« (DAGR, X, 10)

THOMAS MÜNTZER

Thomas Müntzer war der Eifrigste unter allen Fanatikern, ein Mann mit bemerkenswerten Fähigkeiten. Wenn sie in gute Bahnen gelenkt worden wären, hätte er damit viel Positives bewirken können. Doch er hatte die grundlegendsten Prinzipien wahrer Religion nie begriffen. »Er war von dem Wunsch besessen, die Welt zu erneuern, und vergaß wie alle Schwärmer, dass eine Reformation bei ihm selbst beginnen musste.« (DAGR, IX, 8) Er wollte Rang und Einfluss gewinnen, war aber nicht bereit, sich jemandem unterzuordnen, nicht einmal Luther. Er erklärte, dass die Reformatoren die Autorität des Papsttums durch die der Schrift ersetzt hätten, was nur eine andere Form des Papsttums sei. Von sich selbst sagte Müntzer, er sei von Gott berufen, eine wahre Reformation einzuleiten. »Wer diesen Geist besitzt«, sagte Müntzer, »besitzt den wahren Glauben, auch wenn er niemals in seinem Leben die Heilige Schrift zu Gesicht bekäme.« (DAGR, X, 10)

Die schwärmerischen Lehrer ließen sich gänzlich von ihren Eindrücken leiten. Sie hielten jeden Gedanken und jede innere Regung für Gottes Stimme. In der Folge nahmen sie extreme Positionen ein. Einige verbrannten sogar ihre Bibeln und riefen aus: »Der Buchstabe tötet, aber der Geist macht lebendig.« Müntzers Lehren kamen dem menschlichen Verlangen nach dem Außergewöhnlichen entgegen. Sie befriedigten den Stolz, indem sie menschliche Ideen und Meinungen über das geschriebene Wort Gottes stellten. Tausende nahmen seine Lehren an. Bald prangerte er jede Art von Ordnung im öffentlichen Gottesdienst an und erklärte, den Fürsten zu gehorchen, heiße, Gott und Belial gleichzeitig dienen zu wollen.

Menschen, die im Begriff waren, das päpstliche Joch abzuwerfen, reagierten nun auch auf Einschränkungen der weltlichen Obrigkeit gereizt. Müntzers revolutionäre Lehren, für die er göttliche Zustimmung beanspruchte, verleiteten sie dazu, sich jeder Kontrolle zu entziehen und ihren Vorurteilen und Leidenschaften freien Lauf zu lassen. Es folgten schreckliche Aufstände und Kämpfe, die den Boden Deutschlands mit Blut tränkten.

Seelenqualen, wie sie Luther seinerzeit in Erfurt durchlitten hatte, legten sich mit doppelter Heftigkeit auf ihn, als er die Folgen des Fanatismus sah, die man nun der Reformation zur Last legte. Die römisch-katholischen Fürsten erklärten, der Aufruhr sei die natürliche

Folge von Luthers Lehren, und viele waren bereit, dem zuzustimmen. Obwohl diese Behauptung jeder Grundlage entbehrte, brachte sie den Reformator in große Not. Dass über die Wahrheit Schande kam, weil sie mit grobem Fanatismus gleichgestellt wurde, war mehr, als er ertragen konnte. Doch die Rädelsführer der Rebellion hassten Luther nicht nur, weil er ihren Lehren widersprach und ihren Anspruch auf Inspiration ablehnte, sondern weil er sie des Aufruhrs gegen die weltliche Obrigkeit bezichtigte. Als Vergeltungsmaßnahme nannten sie ihn einen bösen Heuchler. Nun schien es ganz, als habe er die Feindschaft sowohl der Fürsten als auch des Volkes auf sich gezogen.

Die Anhänger des Papsttums frohlockten und erwarteten einen schnellen Niedergang der Reformation. Sie legten Luther sogar jene Irrtümer zur Last, die er mit großem Eifer richtig stellen wollte. Nun behauptete die Partei der Fanatiker, ungerecht behandelt worden zu sein. Damit gewann sie die Sympathie eines großen Teils der Bevölkerung. Wie so oft, hielt man Menschen, die einen falschen Weg eingeschlagen hatten, schließlich für Märtyrer. So kam es, dass diejenigen, die sich der Reformation mit aller Kraft widersetzt hatten, am Ende bemitleidet und als Opfer von Härte und Unterdrückung geehrt wurden. Das war Satans Werk, angeregt durch denselben Geist der Rebellion, der sich ganz am Anfang schon im Himmel bekundet hatte.

KAMPF AUF ALLEN SEITEN

Satan bemüht sich ständig, die Menschen zu täuschen und sie zu veranlassen, Sünde als Gerechtigkeit und Gerechtigkeit als Sünde zu bezeichnen. Welch großen Erfolg hatte doch sein Werk! Wie oft werden treue Diener Gottes mit Tadel überschüttet, weil sie furchtlos die Wahrheit verteidigen! Menschen, die nur Diener Satans sind, werden mit Lob und Schmeicheleien überhäuft und sogar als Märtyrer angesehen, während diejenigen, die wegen ihrer Treue zu Gott geachtet und bestärkt werden sollten, unter Verdächtigungen und Misstrauen allein gelassen werden.

Unechte Heiligkeit und falsche Heiligung verrichten noch immer ihr verführerisches Werk. In vielfältiger Gestalt zeigt sich heute der gleiche Geist wie zur Zeit Luthers. Er lenkt die Gedanken von der Heiligen Schrift weg und bringt Menschen dazu, sich von ihren eigenen Gefühlen und Eindrücken leiten zu lassen, anstatt Gottes Weisungen zu gehorchen. Das ist eine der erfolgreichsten Strategien Satans, um Reinheit und Wahrheit in Verruf zu bringen.

Von allen Seiten kamen die Angriffe, doch Luther verteidigte das Evangelium ohne Furcht. Gottes Wort erwies sich bei jeder Auseinandersetzung als mächtige Waffe. Mit diesem Wort kämpfte er gegen die eigenmächtige Autorität des Papstes und die rationalistische Philosophie der Gelehrten, während er fest wie ein Fels dem Fanatismus entgegentrat, der sich in die Reformation einschleichen wollte.

Jede dieser so gegensätzlichen Bewegungen setzte die Heilige Schrift auf ihre Weise beiseite und machte menschliche Weisheit zur Quelle für religiöse Wahrheit und Erkenntnis. Der Rationalismus vergöttert die Vernunft und erhebt sie zum Maßstab über die Religion. Der römische Katholizismus beansprucht für den Papst eine göttliche Vollmacht, die seit den Tagen der Apostel durch alle Jahrhunderte hindurch über eine ununterbrochene Linie auf ihn übertragen wurde. Das schafft, unter einem Deckmantel von Heiligkeit und apostolischem Auftrag, jeder Form von Ausschweifung und Korruption viel Spielraum. Die Eingebungen, auf die sich Müntzer und seine Gefährten beriefen, entstammten keiner besseren Quelle als den Launen der eigenen Einbildung. Ihr Einfluss untergrub jede Form von menschlicher oder göttlicher Autorität. Wahres Christentum hingegen betrachtet das Wort Gottes als das große Schatzhaus der inspirierten Wahrheit und als Prüfstein für jede Eingebung.

DIE BIBEL FÜR DAS VOLK

Nach seiner Rückkehr von der Wartburg stellte Luther die Übersetzung des Neuen Testaments fertig, und das Evangelium wurde dem deutschen

Volk bald in seiner eigenen Sprache überreicht. Alle wahrheitsliebenden Menschen empfingen diese Übersetzung mit großer Freude, sie wurde jedoch von denen verächtlich abgelehnt, die menschliche Traditionen und Gebote bevorzugten.

Die Priester waren beunruhigt, dass das gewöhnliche Volk nun in der Lage war, mit ihnen über die Lehren der Heiligen Schrift zu diskutieren. Dabei kam ihre eigene Unwissenheit ans Tageslicht. Die Waffen ihrer fleischlichen Argumentation waren gegen das Schwert des Geistes machtlos. Rom bot seine ganze Macht auf, um die Verbreitung der Heiligen Schrift zu verhindern, aber all seine Erlasse, Bannflüche und Strafen waren wirkungslos. Je mehr Rom den Gebrauch der Bibel verdammte und verbot, desto größer wurde das Verlangen des Volkes, zu wissen, was sie wirklich lehrt. Wer lesen konnte, erforschte das Wort Gottes für sich selbst mit Hingabe. Man nahm die Schrift mit, las sie wieder und wieder und war erst zufrieden, als man ganze Teile auswendig kannte. Als Luther das Interesse sah, mit dem das Neue Testament aufgenommen wurde, begann er unverzüglich mit der Übersetzung des Alten und veröffentlichte es in Teilen, sobald sie fertiggestellt waren.

Luthers Schriften wurden in Stadt und Land positiv aufgenommen. »Was Luther und seine Freunde schrieben, wurde von andern verbreitet. Mönche, die von der Unrechtmäßigkeit ihres Klostergelübdes überzeugt wurden, wollten nach langer Untätigkeit ein arbeitsames Leben führen. Da sie aber für die Predigt des göttlichen Wortes zu geringe Kenntnisse besaßen, zogen sie durch die Provinzen und verkauften Luthers Bücher. Es gab bald sehr viele dieser mutigen Hausierer.« (DAGR, XI, 88)

Die Schriften wurden von Armen und Reichen, Gelehrten wie Laien, mit großem Interesse gelesen. Abends lasen Dorfschullehrer kleinen Gruppen, die sich in Wohnungen versammelten, aus der Bibel vor. Dabei wurden stets einige Anwesende von der Wahrheit überzeugt. Man nahm das Wort mit Freuden auf und erzählte dann anderen von der guten Nachricht.

Die inspirierten Worte der Bibel bewahrheiteten sich: »Wenn dein Wort offenbar wird, so erfreut es und macht klug die Unverständigen.«

(Psalm 119,130) Das Studium der Bibel bewirkte eine große Veränderung in den Gedanken und Herzen des Volkes. Die päpstliche Herrschaft hatte ihren Untertanen ein eisernes Joch auferlegt, das sie in Unwissenheit und Erniedrigung festhielt. Peinlich genau wurden abergläubische Formen beobachtet, doch in all diesen religiösen Handlungen kamen Herz und Verstand viel zu kurz. Die Verkündigung Luthers durch die schlichten Wahrheiten der Heiligen Schrift hatte ihre Wirkung auf das einfache Volk und weckte seine ungenutzten Fähigkeiten, die nicht nur den Geist reinigten und veredelten, sondern auch dem Verstand neue Kraft und Vitalität verliehen.

Leute aus allen Volksschichten sah man mit Bibeln in der Hand die Lehren der Reformation verteidigen. Die Anhänger des Papsttums, die das Studium der Heiligen Schrift den Priestern und Mönchen überlassen hatten, forderten diese nun auf, anzutreten und diese neuen Lehren zu widerlegen. Doch Priester und Mönche, die weder die Schrift noch die Kraft Gottes kannten, waren denen, die sie als ungebildete Häretiker verschrien hatten, vollkommen unterlegen. »Leider«, sagte ein katholischer Schriftsteller, »hatte Luther die Seinigen überredet, man dürfe nur den Aussprüchen der heiligen Bücher Glauben schenken.« (DAGR, XI, 86 ff.) Menschenmassen hörten den »ungebildeten« Männern zu, die sich sogar mit gelehrten und beredten Theologen auseinandersetzten. Die beschämende Unwissenheit dieser großen Männer wurde offenbar, als man ihren Argumenten die einfachen Lehren des Wortes Gottes gegenüberstellte. Arbeiter, Soldaten, Frauen und sogar Kinder waren mit den Lehren der Bibel besser vertraut als Priester und Gelehrte.

Der Unterschied zwischen den Jüngern des Evangeliums und den Gehilfen des päpstlichen Aberglaubens war in den Reihen der Gelehrten genauso klar erkennbar wie unter dem gewöhnlichen Volk. »Die alten Stützen der Hierarchie hatten die Kenntnis der Sprachen und das Studium der Wissenschaft vernachlässigt; ihnen trat eine studierende, in der Schrift forschende, mit den Meisterwerken des Altertums sich beschäftigende Jugend entgegen. Diese aufgeweckten Köpfe und unerschrockenen Männer erwarben sich bald solche Kenntnisse, dass sich lange Zeit keiner mit ihnen messen konnte. ... Wo die jungen Verteidiger der Reformation mit den römischen Doktoren zusammentrafen, griffen sie diese mit solcher Ruhe und Zuversicht an, dass diese unwissenden Menschen zögerten, verlegen wurden und sich allgemein gerechte Verachtung zuzogen.« (DAGR, XI, 86 ff.)

DIE GEISTLICHKEIT IN BEDRÄNGNIS

Als die römischen Geistlichen sahen, dass die Anzahl ihrer Gottesdienstbesucher zurückging, riefen sie die weltlichen Behörden zu Hilfe und versuchten, mit allen ihnen zur Verfügung stehenden Mitteln, ihre Zuhörer zurückzugewinnen. Aber die Menschen hatten in den neuen Lehren das gefunden, was ihre geistlichen Bedürfnisse stillte. So kehrten sie denen, die sie so lange mit der wertlosen Spreu abergläubischer Bräuche und menschlicher Traditionen ernährt hatten, den Rücken.

Als die Lehrer der Wahrheit unter der Verfolgung litten, erinnerten sie sich an die Worte Christi: »Wenn sie euch aber in einer Stadt verfolgen, so flieht in eine andere.« (Matthäus 10,23) So drang das Licht überall hin. Oft wurde den Flüchtenden irgendwo eine gastfreundliche Tür geöffnet, und während sie dort waren, verkündigten sie Christus. Dies taten sie manchmal in Kirchen, doch wenn ihnen dieses Vorrecht verweigert wurde, predigten sie auch in Privathäusern oder im Freien. Wo immer sie Zuhörer fanden, war ein geweihter Tempel. Die Wahrheit wurde mit solcher Einsatzfreude und Zuversicht gepredigt, dass sie sich mit unwiderstehlicher Kraft ausbreitete.

Vergeblich versuchte sowohl die kirchliche wie auch die weltliche Obrigkeit die Ketzerei zu vernichten. Vergeblich griffen sie zu Gefangenschaft, Folter, Feuer und Schwert. Tausende besiegelten ihr Glaubenszeugnis mit ihrem Blut, doch das Werk ging voran. Die Verfolgung diente der Ausbreitung der Wahrheit. Der Fanatismus, den Satan mit ihr in Verbindung bringen wollte, machte den Unterschied zwischen seinem Wirken und dem Werk Gottes nur noch deutlicher.

KAPITEL 7

DER PROTEST DER FÜRSTEN

Eines der edelsten Zeugnisse, das je für die Reformation abgelegt wurde, war der Protest der christlichen Fürsten Deutschlands auf dem zweiten Reichstag zu Speyer 1529. Der Mut, das Gottvertrauen und die Entschlossenheit dieser gläubigen Männer waren bahnbrechend für die Glaubens- und Gewissensfreiheit späterer Zeiten. Ihr Protest gab den Anhängern des reformierten Glaubens den Namen Protestanten, seine Prinzipien waren das Wesen des Protestantismus. (DAGR, XIII, 6, 59)

DER BRUCH DES STILLHALTEABKOMMENS

Für die Reformation brach ein dunkler und bedrohlicher Tag an. Das Wormser Edikt (1521) hatte Luther zwar geächtet und das Verbreiten oder Annehmen seiner Lehren verboten, doch im Reich dominierte bislang eine religiöse Toleranz. Gottes Vorsehung hatte die Kräfte, die der Wahrheit entgegen standen, im Zaum gehalten. Karl V. war entschlossen, die Reformation auszurotten, doch jedes Mal, wenn er zum entscheidenden Schlag ausholen wollte, musste er sich davon abwenden. Immer wieder schien die sofortige Vernichtung aller, die es wagten, sich gegen Rom aufzulehnen, unabwendbar, doch zum kritischen Zeitpunkt

Gemälde: DER PROTEST | Fürsten bahnen dem Protestantismus den Weg

rückten entweder türkische Heere an der Ostgrenze des Reiches vor oder der französische König oder gar der Papst selbst, der auf die große Macht des Kaisers neidisch geworden war, zog gegen ihn in den Krieg. Damit konnte sich die Reformation inmitten allgemeinen Streits unter den Nationen festigen und ausbreiten.

Doch schließlich hatten die katholischen Fürsten ihre Zwistigkeiten beigelegt, sodass sie ihren gemeinsamen Kampf gegen die Reformation wieder aufnehmen konnten. Bis zur Einberufung eines allgemeinen Konzils hatte der Reichstag zu Speyer 1526 jedem deutschen Land im Bereich der Religion volle Freiheit zugebilligt. Doch kaum waren die Gefahren vorüber, unter denen diese Zugeständnisse gemacht worden waren, berief der Kaiser 1529 einen zweiten Reichstag nach Speyer ein, um die Ketzerei zu vernichten. Die Fürsten sollten möglichst durch friedliche Mittel dazu gebracht werden, sich gegen die Reformation zu stellen. Sollte der Plan scheitern, war Karl bereit, zum Schwert zu greifen.

Die Anhänger des Papsttums jubelten und erschienen zahlreich in Speyer. Sie brachten ihre Feindschaft gegenüber den Reformatoren und allen, die auf ihrer Seite standen, offen zum Ausdruck. Da sagte Melanchthon: »Wir sind der Abschaum und der Kehricht der Welt; aber Christus wird auf sein armes Volk herabsehen und es bewahren.« Den beim Reichstag anwesenden evangelischen Fürsten wurde verboten, das Evangelium selbst in ihren Privaträumen predigen zu lassen. Aber die Einwohner von Speyer hatten Verlangen nach dem Wort Gottes, und trotz Verbot strömten sie zu Tausenden zu den Gottesdiensten, die in der Kapelle des Kurfürsten von Sachsen abgehalten wurden.

Dies beschleunigte die Krise. Der Kaiser sandte eine Botschaft an den Reichstag und forderte ihn auf, den Beschluss zur Religionsfreiheit aufzuheben, da dieser wiederholt zu großen Unruhen führe. Diese willkürliche Entscheidung rief unter den evangelischen Christen Empörung und Unruhe hervor. Einer sagte: »Christus ist wieder in den Händen von Kaiphas und Pilatus.« (DAGR, XIII, 5, 51 f.) Die Anhänger des Papsttums wurden immer heftiger, und ein Fanatiker unter ihnen erklärte: »Die Türken sind besser als die Lutheraner; denn die Türken beachten das Fasten, und diese verletzen es. Wenn wir zwischen der Heiligen Schrift Gottes und den alten Irrtümern der Kirche zu wählen hätten, würden wir die Erstere verwerfen.« Melanchthon schrieb: »Täglich schleuderte Faber (der Beichtvater König Ferdinands und spätere Bischof von Wien) in der vollen Versammlung neue Steine gegen uns Evangelische.« (DAGR, XIII, 5, 51 f.)

Die Duldung in religiösen Fragen war gesetzlich geregelt, und die evangelischen Staaten waren fest entschlossen, die Verletzung ihrer Rechte nicht hinzunehmen. Luther stand immer noch unter der Reichsacht, die ihm das Edikt von Worms auferlegt hatte. Ihm wurde nicht erlaubt, nach Speyer zu kommen, er wurde aber durch Mitarbeiter und Fürsten vertreten. Gott hatte sie erweckt, um seine Sache in dieser Notsituation zu verteidigen. Der edle Friedrich von Sachsen, Luthers früherer Schutzherr, war gestorben. Sein Bruder und Nachfolger, Herzog Johann, hatte die Reformation jedoch freudig begrüßt. Während er ein Freund des Friedens war, legte er in allen Belangen des Glaubens dennoch Mut und große Tatkraft an den Tag.

EIN GEFÄHRLICHER KOMPROMISSVORSCHLAG

Die Priester verlangten, dass sich die Staaten, welche die Reformation angenommen hatten, bedingungslos der römischen Gerichtsbarkeit unterwarfen. Die Reformatorischen forderten ihrerseits die Freiheit, die ihnen vorher gewährt worden war. Sie konnten nicht einwilligen, dass Rom jene Staaten wieder unter seine Herrschaft brachte, die mit so großer Freude das Wort Gottes angenommen hatten.

Man legte schließlich einen Kompromissvorschlag auf den Tisch. In Gebieten, die von der Reformation noch nicht erfasst worden waren, sollte das Edikt von Worms rigoros durchgesetzt werden; »wo man aber davon abgewichen und wo dessen Einführung ohne Volksaufruhr nicht möglich sei, solle man wenigstens nicht weiter reformieren, keine Streitfragen verhandeln, die Messe nicht verbieten, keinen Katholiken zum Luthertum übertreten lassen« (DAGR, XIII, 5, 51 f.). Dieser Vorschlag wurde zur großen Genugtuung der Priester und Prälaten vom Reichstag angenommen.

Falls dieser Erlass »Gesetzeskraft erhielt, so konnte sich die Reformation weder weiter ausbreiten ... wo sie noch nicht war, noch wo sie bestand, festen Boden gewinnen« (DAGR, XIII, 5, 51 f.). Die Redefreiheit würde aufgehoben, Bekehrungen würden nicht mehr gestattet, und von den Freunden der Reformation würde verlangt, sich kurzerhand diesen Einschränkungen und Verboten zu unterwerfen. Die Hoffnung der Welt schien wieder einmal dem Erlöschen nahe. »Die Wiederherstellung der römischen Hierarchie hätte die alten Missstände unweigerlich zurückgebracht.« Darüber hinaus wäre genügend Gelegenheit geboten worden, ein »ganzes Werk zu zerstören, das durch Fanatismus und Zwietracht sonst schon so arg erschüttert war« (DAGR, XIII, 5, 51 f.).

Als die evangelische Partei zur Beratung zusammen kam, blickte man sich bestürzt an. Alle fragten: »Was ist jetzt zu tun?« Für die Welt stand Großes auf dem Spiel. »Sollten die führenden Köpfe der Reformation nachgeben und das Edikt annehmen? Wie leicht hätten die Reformatoren in diesem entscheidenden Augenblick, der in der Tat außerordentlich wichtig war, sich dazu überreden lassen können, einen falschen Weg einzuschlagen. Wie viele glaubhafte Vorwände und annehmbare Gründe für ihre Unterwerfung hätten sich finden lassen! Den lutherisch gesinnten Fürsten war die freie Ausübung ihres Glaubens zugesichert. Dieselbe Begünstigung erstreckte sich auch auf alle ihre Untertanen, die die reformierte Lehre angenommen hatten, ehe die Regelungen in Kraft traten. Konnte sie dies nicht zufriedenstellen? Wie vielen Gefahren würde man durch eine Unterwerfung ausweichen! Doch in welch unbekannte Wagnisse und Kämpfe würde der Widerstand sie treiben! Wer weiß, ob sich in Zukunft je wieder solch eine Gelegenheit bieten würde! ›Lasst uns den Frieden annehmen; lasst uns den Ölzweig ergreifen, den Rom uns entgegenhält, und die Wunden Deutschlands schließen.‹ Mit derartigen Begründungen hätten die Reformatoren sich bei der Annahme eines Weges, der unvermeidlich bald darauf den Umsturz ihrer Sache herbeigeführt haben würde, rechtfertigen können.

Glücklicherweise erkannten sie den Grundsatz, auf dem diese Anordnung beruhte, und handelten im Glauben. Was war das für ein Grundsatz? – Es war das Recht Roms, das Gewissen zu zwingen und eine freie Untersuchung zu untersagen. Sollten aber sie selbst und ihre evangelischen Untertanen sich nicht der Religionsfreiheit erfreuen? – Ja, als eine Gunst, die in der Anordnung besonders vorgesehen war, nicht aber als ein Recht. In allem, was in diesem Abkommen nicht inbegriffen war, sollte der herrschende Grundsatz der Autorität maßgebend sein; das Gewissen wurde nicht berücksichtigt; Rom war der unfehlbare Richter, und ihm musste man gehorchen. Die Annahme der vorgeschlagenen Vereinbarung wäre ein sichtbares Zugeständnis gewesen, dass die Religionsfreiheit auf das evangelische Sachsen beschränkt werden sollte; was aber die übrige Christenheit anging, so seien freie Forschung und das Bekenntnis des reformierten Glaubens Verbrechen, die mit Kerker und Scheiterhaufen zu ahnden wären. Dürften sie der örtlichen Beschränkung der Religionsfreiheit zustimmen, dass man verkündige, die Reformation habe ihren letzten Anhänger gewonnen, ihren letzten Fußbreit erobert? Und sollte dort, wo Rom zu dieser Stunde sein Zepter schwang, seine Herrschaft ständig aufgerichtet bleiben? Könnten die Reformatoren sich unschuldig fühlen an dem Blut jener Hunderte und Tausende, die in Erfüllung dieser Anordnung ihr Leben in päpstlichen Ländern opfern müssten? Dies hieße, in jener so verhängnisvollen Stunde die Sache des Evangeliums und die Freiheit der Christenheit zu verraten.« – »Lieber wollten sie ... ihre Länder, ihre Kronen, ihr Leben opfern.« (DAGR, XIII, 5, 51 f.)

DURCHSCHAUT UND VERWORFEN

»Wir verwerfen diesen Beschluss«, sagten die Fürsten. »In Gewissensangelegenheiten hat die Mehrheit keine Macht.« Die Abgeordneten erklärten: »Das Dekret von 1526 hat den Frieden im Reich gestiftet; hebt man es auf, so heißt das, Deutschland in Hader und Zank zu stürzen. Der Reichstag hat keine weitere Befugnis als die Aufrechterhaltung der Glaubensfreiheit bis zu einem Konzil.« (DAGR, XIII, 5, 51 f.) Es ist die

Pflicht des Staates, die Glaubensfreiheit zu schützen, aber in Glaubensangelegenheiten hört seine Autorität auf. Jede weltliche Regierung, die sich in die Einhaltung von religiösen Bestimmungen einmischt oder solche forciert, opfert den Grundsatz der Religionsfreiheit, für den die evangelischen Christen so tapfer kämpften.

Die Anhänger des Papsttums beschlossen, den nach ihrer Auslegung »frechen Trotz« zu unterbinden. Nun begannen sie, unter den Unterstützern der Reformation Spaltungen zu erzeugen und jeden einzuschüchtern, der sich nicht offen zu ihnen bekannte. Zuletzt wurden die Vertreter der freien Reichsstädte vor den Reichstag geladen und aufgefordert zu erklären, ob sie den Bedingungen dieses Antrags zustimmen würden. Vergeblich baten sie um Bedenkzeit. Als sie Stellung beziehen mussten, ergriff fast die Hälfte für die Reformatoren Partei. Damit weigerten sie sich, die Gewissensfreiheit und das Recht auf persönliche Urteilsbildung zu opfern. Sie waren sich dabei voll bewusst, dass ihnen dieser Standpunkt in Zukunft Kritik, Verurteilung und Verfolgung einbringen würde. Einer der Abgeordneten bemerkte: »Das ist die erste Probe ... bald kommt die zweite: das Wort Gottes widerrufen oder brennen.« (DAGR, XIII, 5, 51 f.)

König Ferdinand, der Stellvertreter des Kaisers auf dem Reichstag, erkannte, dass dieser Erlass zu ernsthaften Spaltungen führen würde, falls die Fürsten nicht dazu bewegt werden konnten, ihn anzunehmen und zu unterstützen. Weil er genau wusste, dass der Einsatz von Gewalt solche Männer nur noch entschlossener machte, versuchte er es mit der Überredungskunst. Er »bat die Fürsten um Annahme des Dekrets, für welchen Schritt der Kaiser ihnen großen Dank wissen würde« (DAGR, XIII, 5, 51 f.). Aber diese gewissenhaften Männer vertrauten der Autorität eines Herrschers, der größer ist als irdische Machthaber, und antworteten ruhig: »Wir gehorchen dem Kaiser in allem, was zur Erhaltung des Friedens und zur Ehre Gottes dienen kann.« (DAGR, XIII, 5, 51 f.)

Vor der ganzen Reichsversammlung erklärte der König dem Kurfürsten und seinen Freunden, dass das Edikt bald in Form eines kaiserlichen Erlasses abgefasst werden würde und dass ihnen jetzt nur noch die Möglichkeit bleibe, sich der Mehrheit zu unterwerfen. Nachdem er dies gesagt hatte, verließ er die Versammlung. Damit nahm er den Protestanten die Möglichkeit zur Beratung und zur Erwiderung. Vergeblich baten sie den König durch eine Gesandtschaft, zurückzukehren. Auf ihren Einspruch erwiderte er nur: »Die Artikel sind beschlossen; man muss sich unterwerfen.« (DAGR, XIII, 5, 51 f.)

Die kaiserliche Partei war überzeugt, dass sich die christlichen Fürsten auf die Heilige Schrift berufen würden und dieser höhere Beachtung schenkten als menschlichen Lehren und Ansprüchen. Auch war für sie klar, dass, wo immer dieses Prinzip übernommen würde, letztendlich der Sturz des Papsttums bevorstand. Aber wie so viele nach ihnen schauten sie nur auf das Sichtbare und redeten sich ein, dass die Sache des Papstes und des Kaisers stark, die der Reformatoren jedoch schwach sei. Hätten sich die Reformatoren allein auf menschliche Hilfe verlassen können, wären sie tatsächlich so machtlos gewesen, wie die Anhänger des Papsttums es annahmen. Aber obwohl sie zahlenmäßig unterlegen waren und von Rom abwichen, besaßen sie doch innere Stärke. Sie beriefen sich »vom Beschluss des Reichstages auf Gottes Wort, von Kaiser Karl auf Jesus Christus, den König aller Könige, den Herrn aller Herren« (DAGR, XIII, 5, 51 f.).

Weil Ferdinand ihre Gewissensüberzeugung missachtet hatte, beschlossen die Fürsten, auf seine Abwesenheit keine Rücksicht mehr zu nehmen. Unverzüglich richteten sie ihren Protest an die Ratsversammlung. Eine feierliche Erklärung wurde aufgesetzt und dem Reichstag vorgelegt: »Wir protestieren durch diese Erklärung vor Gott, unserem einigen Schöpfer, Erhalter, Erlöser und Seligmacher, der uns einst richten wird, und erklären vor allen Menschen und Kreaturen, dass wir für uns und die Unsrigen in keiner Weise dem vorgelegten Dekret beipflichten oder beitreten und allen Punkten, welche Gott, seinem heiligen Worte, unserem guten Gewissen, unserer Seligkeit zuwiderlaufen.

Wie sollten wir das Edikt billigen können und dadurch erklären, dass, wenn der allmächtige Gott einen Menschen zu seiner Erkenntnis beruft, dieser Mensch nicht die Freiheit hat, diese Erkenntnis anzunehmen! … Da nur die Lehre, welche Gottes Wort gemäß ist, gewiss genannt werden kann, da der Herr eine andere zu lehren verbietet, da jeder Text der Heiligen Schrift durch deutlichere Stellen derselben ausgelegt werden soll, da dieses heilige Buch in allem, was dem Christen Not tut, leicht verständlich ist und das Dunkel zu zerstreuen vermag: so sind wir mit Gottes Gnade entschlossen, allein die Predigt des göttlichen Wortes, wie es in den biblischen Büchern des Alten und Neuen Testaments enthalten ist, lauter und rein, und nichts, was dawider ist, aufrechtzuerhalten. Dieses Wort ist die einzige Wahrheit, die alleinige Richtschnur aller Lehre und alles Lebens und kann nicht fehlen noch trügen. Wer auf diesen Grund baut, besteht gegen alle Mächte der Hölle; alle Menschentorheit, die sich dawiderlegt, verfällt vor Gottes Angesicht. ...

Deshalb verwerfen wir das Joch, das man uns auflegt. ... Wir hoffen, Ihre Kaiserliche Majestät werde als ein christlicher Fürst, der Gott vor allen Dingen liebt, in unserer Sache verfahren, und erklären uns bereit, ihm, wie euch, gnädige Herren, alle Liebe und allen Gehorsam zu erzeigen, welches unsere gerechte und gesetzliche Pflicht ist.« (DAGR, XIII, 6)

Dies machte einen großen Eindruck auf den Reichstag. Ein solcher Mut der Protestanten erschreckte und erstaunte die Mehrheit. Sie sahen stürmische Zeiten auf sich zukommen. Zwietracht, Streit und Blutvergießen schienen unvermeidlich. Die Reformatorischen waren jedoch von der Gerechtigkeit ihrer Sache überzeugt, verließen sich auf den Arm des Allmächtigen und blieben fest und mutig.

DIE PRINZIPIEN DES PROTESTANTISMUS

»Die in dieser berühmten Protestation ... ausgesprochenen Grundsätze sind der wesentliche Inhalt des Protestantismus. Die Protestation tritt gegen zwei menschliche Missbräuche in Glaubenssachen auf: gegen die Einmischung der weltlichen Macht und die Willkür des Klerus. Sie setzt an die Stelle der weltlichen Behörde die Macht des Gewissens und an die Stelle des Klerus die Autorität des Wortes Gottes. Der Protestantismus erkennt die weltliche Gewalt in göttlichen Dingen nicht an und sagt, wie die Apostel und die Propheten: ›Man muss Gott mehr gehorchen als den

Menschen.‹ (Apostelgeschichte 5,29) Ohne Karls V. Krone anzutasten, hält er die Krone Jesu Christi aufrecht, und noch weitergehend stellt er den Satz auf, dass alle Menschenlehre den Aussprüchen Gottes untergeordnet sein soll.« (DAGR, XIII, 6) Die Protestanten bestanden außerdem auf ihrem Recht, religiöse Überzeugungen frei aussprechen zu dürfen. Sie wollten nicht nur dem Wort Gottes glauben und gehorchen, sondern es auch lehren und lehnten es ab, dass Priester und Verwaltungen das Recht hätten, sich einzumischen. Der Protest zu Speyer war ein ernstes Zeugnis gegen religiöse Unduldsamkeit und ein Appell des Rechts aller Menschen, Gott nach ihrem eigenen Gewissen zu dienen.

Die Erklärung war gegeben. Sie wurde in das Gedächtnis von Tausenden und in die Bücher des Himmels eingetragen, wo kein menschliches Bemühen sie auslöschen konnte. Das ganze evangelische Deutschland übernahm diesen Protest als Ausdruck seines Glaubens. Überall sah man in dieser Erklärung den Anfang einer neuen und besseren Zeit. Einer der Fürsten sagte den Protestanten in Speyer: »Der allmächtige Gott, der euch die Gnade verliehen, ihn kräftig, frei und furchtlos zu bekennen, bewahre euch in dieser christlichen Standhaftigkeit bis zum Tage des Gerichts!« (DAGR, XIII, 6)

Hätte sich die Reformation nach ihrem anfänglichen Erfolg darauf eingelassen, auf die Zustimmung der Welt zu warten, wäre sie Gott und sich selbst untreu geworden und hätte sich ihr eigenes Grab geschaufelt. Die Erfahrung dieser edlen Reformatoren enthält eine Lehre für alle späteren Generationen. Satans Art und Weise, gegen Gott und sein Wort zu wirken, hat sich nicht verändert. Er stellt sich heute noch genauso dagegen, dass die Heilige Schrift zur Lebensregel erhoben wird, wie im 16. Jahrhundert. Heutzutage weicht man von ihren Lehren und Weisungen massiv ab, und deshalb gilt es zu jenem bedeutsamen Prinzip des Protestantismus zurückzukehren, wonach die Bibel und die Bibel allein der Maßstab für Glaube und Handeln ist. Satan arbeitet immer noch mit allen Mitteln daran, die Religionsfreiheit zu beseitigen. Die antichristliche Macht, die die Protestanten in Speyer ablehnten, versucht heute mit neuer Kraft, ihre verlorene Herrschaft zurückzugewinnen. Dasselbe Festhalten am

Wort Gottes, wie dies zu jener Zeit der Krise der Reformation geschah, ist auch heute die einzige Hoffnung auf Reform.

Die Protestanten erkannten Anzeichen einer drohenden Gefahr. Es gab aber auch Hinweise, dass Gott seine Hand ausstreckte, um die Treuen zu bewahren. Etwa zu dieser Zeit »hatte Melanchthon seinen Freund Simon Grynäus rasch durch die Stadt an den Rhein geführt mit der Bitte, sich übersetzen zu lassen. Als dieser über das hastige Drängen erstaunt war, erzählte ihm Melanchthon: Eine ernste, würdige Greisengestalt, die er nicht gekannt, sei ihm entgegengetreten mit der Nachricht, Ferdinand habe Häscher abgeschickt, um den Grynäus zu verhaften« (DAGR, XIII, 6).

An diesem Tag hatte sich Grynäus über eine Predigt Fabers entrüstet und nach dem Gottesdienst diesem führenden päpstlichen Gelehrten Vorhaltungen gemacht wegen »einiger arger Irrtümer«. Faber hatte sich seinen Zorn nicht anmerken lassen, begab sich aber gleich zum König, von dem er einen Haftbefehl gegen den lästigen Heidelberger Professor erwirkte. Melanchthon hatte keinen Zweifel, dass Gott ihm einen seiner heiligen Engel zur Warnung seines Freundes gesandt hatte.

»Reglos stand er am Rheinufer und wartete, bis das Wasser des Stroms Grynäus vor seinen Verfolgern gerettet hatte. ›Endlich‹, rief Melanchthon aus, als er ihn am anderen Ufer sah, ›ist er den grausamen Klauen seiner Verfolger entrissen worden, die nur unschuldiges Blut vergießen wollen‹. Als er zu seinem Haus zurückkehrte, wurde ihm berichtet, dass Beamte nach Grynäus suchten und sein Haus von oben bis unten durchstöbert hatten.« (DAGR, XIII, 6)

DAS AUGSBURGER BEKENNTNIS

Die Reformation sollte vor den Mächtigen dieser Erde noch größere Bedeutung erhalten. Den evangelischen Fürsten war eine Anhörung durch König Ferdinand verwehrt worden, aber man gab ihnen Gelegenheit, ihre Sache vor dem Kaiser und den versammelten Würdenträgern von Staat und Kirche vorzutragen. Um die Meinungsverschiedenheiten zu beseitigen, die das Reich in Unruhe versetzten, berief Karl V. im Jahr nach dem Protest von Speyer einen Reichstag nach Augsburg (1530) ein, bei dem er persönlich den Vorsitz führen wollte. Dorthin wurden auch die protestantischen Führer vorgeladen.

Der Reformation drohte große Gefahr, aber ihre Verfechter vertrauten ihren Fall dem Schutz Gottes an und gelobten, am Evangelium festzuhalten. Der Kurfürst von Sachsen wurde von seinen Ratgebern gedrängt, nicht auf dem Reichstag zu erscheinen, denn der Kaiser erwarte die Anwesenheit der Fürsten nur, um sie in eine Falle zu locken. Es sei »ein Wagnis, sich mit einem so mächtigen Feinde in dieselben Mauern einzuschließen« (DAGR, XIV, 2, 110). Doch andere erklärten eindrucksvoll, »die Fürsten sollten Mut haben, und Gottes Sache werde gerettet« (DAGR, XIV, 2, 110). Luther sagte: »Gott ist treu – und wird uns nicht lassen.« (DAGR, XIV, 2, 110)

Der Kurfürst und sein Gefolge machten sich auf den Weg nach Augsburg. Alle wussten um die Gefahren, die ihm drohten, und viele gingen mit düsterer Miene und bedrücktem Herzen dorthin. Luther begleitete sie bis Coburg. Um ihren nachlassenden Glauben zu stärken, sang er ihnen einen Choral vor, den er auf dieser Reise geschrieben hatte: »Ein feste Burg ist unser Gott.« Manch düstere Vorahnung wurde vertrieben, und manches Herz wurde unter diesen begeisternden Klängen erleichtert.

Die reformierten Fürsten beschlossen, vor dem Reichstag eine Erklärung abzugeben, die in systematischer Form mit Beweisen aus der Heiligen Schrift abgefasst war. Mit der Vorbereitung dieser Erklärung wurden Luther, Melanchthon und ihre Gefährten beauftragt. Dieses »Augsburger Bekenntnis« wurde von den Protestanten als eine Darlegung ihres Glaubens angenommen, und sie versammelten sich, um ihre Namen unter das Dokument zu setzen. Es war eine ernste Zeit der Prüfung. Die Reformierten achteten sorgfältig darauf, dass ihr Anliegen nicht mit politischen Angelegenheiten vermengt wurde. Die Reformation sollte durch nichts als nur durch das Wort Gottes beeinflusst werden. Als die christlichen Fürsten das Dokument unterzeichnen wollten, trat Melanchthon dazwischen und sprach: »Die Theologen, die Diener Gottes, müssen das vorlegen, und das Gewicht der Großen der Erde muss man für andere Dinge aufsparen.« – »Gott gebe«, antwortete Johann von Sachsen, »dass ihr mich nicht ausschließet, ich will tun, was recht ist, unbekümmert um meine Krone; ich will den Herrn bekennen. Das Kreuz Jesu Christi ist mehr wert als mein Kurhut und mein Hermelin.« (DAGR, XIV, 6, 147 f.) Als er dies gesagt hatte, setzte er seinen Namen darunter. Ein anderer Fürst sagte, als er die Feder ergriff: »Wo es die Ehre meines Herrn Jesu Christi gilt, bin ich bereit, Gut und Leben aufzugeben. ... Ehe ich eine andere Lehre als die, welche in der Konfession enthalten ist, annehme, will ich lieber Land und Leute aufgeben und mit dem Stabe in der Hand aus meiner Väter Heimat auswandern.« (DAGR, XIV, 6, 157 f.) Das war der Glaube und der Mut dieser Gottesmänner!

Es kam die festgesetzte Zeit, dass sie vor dem Kaiser erscheinen mussten. Karl V. saß auf seinem Thron, umgeben von den Kurfürsten und Fürsten des Reiches, und erteilte den protestantischen Reformatoren eine Audienz. Ihr Glaubensbekenntnis wurde vorgelesen. Jener ehrwürdigen Versammlung wurden die Wahrheiten des Evangeliums klar und deutlich dargelegt und die Irrtümer der Papstkirche aufgezeigt. Mit Recht ist dieser Tag als der größte der Reformation und als einer der größten in der Geschichte des Christentums und der Menschheit bezeichnet worden. (DAGR, XIV, 7, 156 f.)

Es waren nur wenige Jahre vergangen, seitdem der Mönch von Wittenberg allein vor dem Reichstag zu Worms gestanden hatte. Nun standen an seiner Stelle die edelsten und mächtigsten Fürsten vor dem Kaiser. Luther war es verboten worden, in Augsburg zu erscheinen, doch durch seine Worte und Gebete war er anwesend. »Ich bin über alle Maßen froh«, schrieb er, »dass ich bis zu der Stunde gelebt habe, in welcher Christus durch solche Bekenner vor solcher Versammlung in einem herrlichen Bekenntnis verkündigt worden ist.« (DAGR, XIV, 7, 156 f.) Auf diese Weise erfüllte sich, was die Schrift sagt: »Ich rede von deinen Zeugnissen vor Königen!« (Psalm 119,46)

In den Tagen des Apostels Paulus wurde das Evangelium, für das er eingekerkert war, vor Fürsten und Edle der Kaiserstadt getragen. Auch hier wurde das, was der Kaiser verboten hatte von der Kanzel zu predigen, im Palast verkündigt. Was viele sogar für die Dienerschaft als unpassend angesehen hatten, hörten nun verwundert die Herrscher und Herren des Reichs. Könige und Männer von Rang waren die Zuhörer, gekrönte Fürsten die Prediger, und die Predigt war die königliche Wahrheit Gottes. Ein Zeitgenosse (Johannes Mathesius, 1504–1565, Schüler und Biograf Luthers) sagte, dass es seit der apostolischen Zeit »kein größer und höher Werk gegeben« habe.

»Was die Lutheraner vorgelesen haben, ist wahr, es ist die reine Wahrheit, wir können es nicht leugnen«, erklärte ein katholischer Bischof. »Könnt ihr das von Kurfürsten abgefasste Bekenntnis mit guten Gründen widerlegen?«, wollte ein anderer von Dr. Eck wissen. »Nicht mit den Schriften der Apostel und Propheten«, antwortete dieser, »aber wohl mit denen der Väter und Konzilien.« – »Also sind die Lutheraner in der Schrift und wir daneben«, entgegnete der Fragende. (DAGR, XIV, 8, 167)

Einige deutsche Fürsten konnten für den reformierten Glauben gewonnen werden. Sogar der Kaiser räumte ein, dass die protestantischen Artikel die reine Wahrheit seien. Das Augsburger Bekenntnis wurde in viele Sprachen übersetzt, in ganz Europa verbreitet und von Millionen Menschen aus späteren Generationen als Ausdruck ihres Glaubens angenommen.

NICHT DURCH WELTLICHE MACHT …

Gottes treue Diener arbeiteten nicht allein. Während sie es »mit Mächtigen und Gewaltigen, nämlich mit den Herren der Welt, die in dieser Finsternis herrschen, mit den bösen Geistern unter dem Himmel« (Epheser 6,12) zu tun hatten, verließ der Herr sein Volk nicht. Wären ihre Augen geöffnet worden, hätten sie die deutlichen Beweise der Gegenwart und Hilfe Gottes genauso sehen können, wie einst ein Prophet des Alten Testamentes. Als der Diener Elisas seinen Meister auf das feindliche Heer aufmerksam machte, das sie umgab und ihnen alle Fluchtwege abschnitt, betete dieser: »HERR, öffne ihm doch die Augen, dass er sieht!« (2. Könige 6,17 ZÜ) Und tatsächlich, der ganze Berg war voll von Pferden und Wagen aus Feuer. Die Armee des Himmels hatte Position bezogen, um den Mann Gottes zu beschützen. Genauso wachten Engel über die Mitarbeiter im Dienst der Reformation.

Luther vertrat stets die Auffassung, die Reformation dürfe zu ihrer Verteidigung nie weltliche Mächte zu Hilfe rufen und nicht zu den Waffen greifen. Er freute sich, dass sich Fürsten des Reiches zum Evangelium bekannt hatten. Doch als sie zu ihrer Verteidigung ein Bündnis schließen wollten, »wollte Luther die evangelische Lehre nur von Gott allein verteidigt wissen, je weniger sich die Menschen darein mischten, desto herrlicher werde sich Gottes Eingreifen offenbaren. Alle Umtriebe, wie die beabsichtigten, deuteten ihm auf feige Ängstlichkeit und sündhaftes Misstrauen« (DAGR, X, 14, 187 f.).

Als sich mächtige Feinde vereinten, um den reformierten Glauben zu Fall zu bringen, und Tausende von Schwertern gegen sie gezogen wurden, schrieb Luther: »Satan lässt seine Wut aus, gottlose Pfaffen verschwören sich, man bedroht uns mit Krieg. Ermahne das Volk weiterzukämpfen vor Gottes Thron mit Glauben und Gebet, sodass unsere Feinde, vom Geiste Gottes besiegt, zum Frieden gezwungen werden. Das Erste, was Not tut, die erste Arbeit, ist das Gebet. Angesichts der Schwerter und der Wut Satans hat das Volk nur eins zu tun: es muss beten.« (DAGR, X, 14, 187 f.)

Als sich Luther später zum versuchten Bündnis der reformierten Fürsten äußerte, erklärte er, dass bei diesem Krieg die einzige Waffe des Gläubigen »das Schwert des Geistes« sei. Er schrieb an den Kurfürsten von Sachsen: »Wir können in unserem Gewissen solch versuchtes Bündnis nicht billigen. Wir möchten lieber zehnmal tot sein, als zu sehen, dass unser Evangelium einen Tropfen vergossenes Blut verursacht. Wir sollen wie die Schlachtschafe gerechnet sein. Es muss ja Christi Kreuz getragen sein. Euer Kurfürstliche Gnaden seien getrost und unerschrocken, wir wollen mit Beten mehr ausrichten, denn sie mit all ihrem Trotzen. Allein dass wir unsere Hände rein vom Blut unserer Brüder behalten, und wo der Kaiser mich und die anderen forderte, so wollen wir erscheinen. Euer Kurfürstliche Gnaden soll weder meinen noch eines anderen Glauben verteidigen, sondern ein jeder soll auf seine eigene Gefahr glauben.« (DAGR, XIV, 1, 104)

… SONDERN DURCH VERTRAUEN AUF CHRISTUS

Aus dem verborgenen Gebetskämmerlein kam die Kraft, welche in dieser großen Reformation die ganze Welt erschütterte. In dieser abgeschiedenen Stille setzten die Diener des Herrn ihre Füße auf den Felsen seiner Verheißungen. Während der Auseinandersetzung in Augsburg verging kein Tag, an dem Luther nicht »täglich drei Stunden dem Gebet widmete, und zwar zu einer Zeit, die dem Studium am günstigsten gewesen wäre«. In der Zurückgezogenheit seines Kämmerleins hörte man, wie er sein Herz vor Gott ausschüttete »mit solchem Glauben und Vertrauen … als ob er mit seinem Freund und Vater rede. Ich weiß, sagte der Reformator, dass du unser Vater und unser Gott bist, dass du die Verfolger deiner Kinder zerstreuen wirst, denn du selbst bist mit uns in der Gefahr. Diese ganze Sache ist dein, nur weil du sie gewollt hast, haben wir sie unternommen. Schütze du uns, o Herr!«

An Melanchthon, der vor der Last der Sorge und Angst fast verzweifelte, schrieb er: »Gnade und Friede in Christo! In Christo, sage ich, nicht in der Welt. Amen! Ich hasse deine Besorgnisse, die dich, wie du schreibst, verzehren, gewaltig. Wenn die Sache falsch ist, so wollen wir widerrufen; wenn sie gerecht ist, weshalb machen wir den, welcher uns ruhig schlafen heißt, bei so vielen Verheißungen zum Lügner? … Christus entzieht sich nicht der Sache der Gerechtigkeit und Wahrheit; er lebt und regiert, und welche Angst können wir noch haben?« (DAGR, XIV, 6, 152 f.)

Gott hörte auf die Schreie seiner Diener. Prinzen und Predigern gab er Gnade und Mut, um vor den Herrschern der Finsternis in dieser Welt die Wahrheit hochzuhalten. Der Herr spricht: »Siehe, ich lege in Zion einen auserwählten, kostbaren Eckstein; und wer an ihn glaubt, der soll nicht zuschanden werden.« (1. Petrus 2,6) Die protestantischen Reformatoren hatten auf Christus gebaut, und die Pforten der Hölle konnten sie nicht überwältigen.

MAJA

KAPITEL 8

CALVIN UND DIE REFORMATION IN FRANKREICH

Auf den Protest von Speyer und die Augsburger Konfession, die den Triumph der Reformation in Deutschland markierten, folgten Jahre des Kampfes und der Finsternis. Geschwächt durch Spaltungen in den eigenen Reihen und angegriffen von mächtigen Feinden, schien der Protestantismus dem vollständigen Untergang geweiht. Tausende besiegelten ihr Zeugnis mit ihrem Blut. Bürgerkriege brachen aus, und die protestantische Sache wurde durch einen ihrer führenden Anhänger verraten. Die Edelsten der reformierten Fürsten fielen in die Hände des Kaisers und wurden als Gefangene von Stadt zu Stadt geschleppt. Aber im Augenblick des scheinbaren Sieges erlitt der Kaiser eine Niederlage. Die Beute wurde seinen Händen entrissen, und er war gezwungen, die Lehren zu dulden, die er sein Leben lang vernichten wollte. Er hatte sein Reich, seine Schätze und selbst sein Leben aufs Spiel gesetzt, um die Ketzerei zu vernichten. Nun wurden seine Armeen in Schlachten aufgerieben, seine Schätze aufgezehrt und viele Gebiete seines Reiches durch Aufstände bedroht. Gleichzeitig breitete sich der neue Glaube, den er eigentlich ausrotten wollte, überall aus. Karl V. hatte gegen den Allmächtigen gekämpft. Gott hatte gesagt: »Es werde Licht«, doch der

Gemälde: DER FLÜCHTLING | Johannes Calvin und die Reformation in Genf

Kaiser wollte die Finsternis erhalten. Er hatte sein Ziel nicht erreicht. Vom langen Kampf erschöpft, dankte er als Kaiser vorzeitig ab und zog sich in ein Kloster zurück, wo er zwei Jahre später starb (1558).

FABER UND FAREL

Der Reformation in der Schweiz und in Deutschland standen finstere Tage bevor. Während viele Kantone der Eidgenossenschaft den reformierten Glauben annahmen, klammerten sich andere in blinder Hartnäckigkeit an die Lehre Roms. Die Verfolgung derjenigen, die die Wahrheit annehmen wollten, führte schließlich zum Bürgerkrieg. Zwingli und viele Anhänger der Reformation fielen auf dem blutigen Schlachtfeld von Kappel. Ökolampad wurde von dieser Katastrophe überwältigt und starb bald darauf. Rom jubelte und schien an vielen Orten zurückzugewinnen, was es verloren hatte. Aber der Ewige, dessen Ratschluss unvergänglich ist, hatte sein Volk nicht im Stich gelassen. Seine Hand brachte Rettung. Er hatte in anderen Ländern Diener erweckt, die die Reformation weiterführen sollten.

Noch ehe man den Namen Luther als Reformator kannte, hatte in Frankreich der Morgen schon zu dämmern begonnen. Einer der Ersten, der das Licht aufgriff, war der betagte Jacques Lefèvre d'Étaples (Jacobus Faber Stapulensis), ein Mann von umfassender Gelehrsamkeit, Professor der Sorbonne und ein aufrichtiger und eifriger Anhänger des Papsttums. Bei Forschungsarbeiten in alter Literatur wurde seine Aufmerksamkeit auf die Bibel gelenkt, und er gab diese Erkenntnis seinen Studenten weiter.

Lefèvre war ein begeisterter Verehrer der Heiligen und hatte damit begonnen, eine Geschichte der Heiligen und Märtyrer nach den Legenden der Kirche zu verfassen. Dies war eine umfangreiche Aufgabe. Er war schon gut vorangekommen, als ihm einfiel, dass die Bibel ihm dabei nützlich sein könnte. Daraufhin begann er sie zu studieren. Tatsächlich fand er dort Beschreibungen von Heiligen, aber nicht derjenigen, die im römischen Kalender aufgeführt waren. Eine Flut göttlichen Lichts erhellte seinen Verstand. Erstaunt und angewidert wandte er sich von seiner selbst gestellten Aufgabe ab und widmete sich dem Studium des Wortes Gottes. Bald begann er die dort entdeckten kostbaren Wahrheiten der Heiligen Schrift zu lehren.

Schon 1512, noch bevor Luther und Zwingli ihr Reformationswerk begonnen hatten, schrieb Lefèvre: »Gott allein gibt uns die Gerechtigkeit durch den Glauben, rechtfertigt uns allein durch seine Gnade zum ewigen Leben.« (WHP, XIII, 1) Während er beim Geheimnis der Erlösung verweilte, rief er aus: »O wunderbarer Austausch: der Unschuldige wird verurteilt, der Schuldige freigesprochen; der Gesegnete verflucht, der Verfluchte gesegnet; das Leben stirbt, der Tote erhält das Leben; die Ehre ist mit Schmach bedeckt, der Geschmähte wird geehrt.« (DAGR, XII, 2, 290)

Er lehrte, dass die Ehre für die Erlösung nur Gott gebührt, erklärte aber gleichzeitig, dass der Mensch verpflichtet sei, Gott zu gehorchen. »Bist du der Kirche Christi angehörig«, sagte er, »so bist du ein Glied am Leibe Christi und als solches mit Göttlichkeit erfüllt. ... Wenn die Menschen dieses Vorrecht begriffen, so würden sie sich rein, keusch und heilig halten und alle Ehre dieser Welt für eine Schmach achten im Vergleich zu der inneren Herrlichkeit, welche den fleischlichen Augen verborgen ist« (DAGR, XII, 2, 290).

Unter Lefèvres Studenten gab es einige, die seinen Worten große Aufmerksamkeit schenkten. Lange nachdem die Stimme ihres Lehrers zum Schweigen gebracht worden war, sollten sie die Verkündigung der Wahrheit weiterführen. Zu diesen gehörte Guillaume (Wilhelm) Farel. Seine frommen Eltern erzogen ihn so, dass er die Lehren der Kirche vorbehaltlos annahm. Von sich selbst hätte er wie der Apostel Paulus sagen können: »Denn nach der allerstrengsten Richtung unsres Glaubens habe ich gelebt als Pharisäer.« (Apostelgeschichte 26,5) Als ergebener Anhänger Roms brannte er vor Eifer, die Widersacher der Kirche auszurotten. »Ich knirschte mit den Zähnen wie ein wütender Wolf«, sagte er später über diesen Abschnitt seines Lebens, »wenn sich irgendeiner gegen den Papst äußerte.« (WHP, XIII, 2, 129) Unermüdlich betete er bis zu dieser Zeit zu den Heiligen und besuchte zusammen mit Lefèvre die Kirchen von Paris, betete vor den Altären und schmückte die Heiligenschreine mit Gaben. Aber diese Handlungen konnten ihm keinen inneren Frieden bringen. Er war von seiner Sünde überzeugt, was sein Gewissen belastete und alle Bußhandlungen nicht auslöschen konnten. Er lauschte den Worten des Reformators wie einer Stimme vom Himmel: »Das Heil ist aus Gnaden; der Unschuldige wird verurteilt, der Schuldige freigesprochen.« – »Das Kreuz Christi allein öffnet den Himmel, schließt allein das Tor der Hölle.« (WHP, XIII, 2, 129)

Farel nahm mit Freuden die Wahrheit an. Durch eine Bekehrung ähnlich der des Paulus wandte er sich von der Sklaverei menschlicher Überlieferungen ab und der Freiheit der Kinder Gottes zu. Er »war so umgewandelt, dass er nicht mehr die Mordlust eines wilden Wolfes hatte, sondern einem sanften Lamme glich, nachdem er sich vom Papst entfernt und ganz Christus hingegeben hatte« (DAGR, XII, 3, 295).

BEIM BISCHOF VON MEAUX

Während Lefèvre weiterhin das Licht unter seinen Studenten verbreitete, verkündigte Farel das Wort öffentlich. Für die Sache Christi legte er einen genauso großen Eifer an den Tag wie damals für den Papst. Ein Würdenträger der Kirche, der Bischof von Meaux, schloss sich ihnen bald darauf an. Andere angesehene Gelehrte stießen zu den Verkündigern des Evangeliums und gewannen Angehörige aller Schichten von Handwerkern und Bauern bis zu den Mitgliedern des Königshauses. Die Schwester des französischen Königs Franz I. nahm den reformierten Glauben an. Eine Zeitlang schien es, als ob ihm der König und die Königinmutter wohl gesonnen wären. Voller Hoffnung sahen die Reformatoren der Zeit entgegen, in der Frankreich für das Evangelium gewonnen sein würde.

Doch ihre Hoffnungen sollten sich nicht erfüllen. Prüfungen und Verfolgungen kamen auf die Jünger Christi zu, was aber noch gnädig vor ihren Augen verborgen war. Eine Zeit lang herrschte Friede, damit die Gläubigen Kräfte sammeln konnten, um dem Sturm zu begegnen. Die Reformation machte große Fortschritte. Der Bischof von Meaux war eifrig bemüht, Priester und Laien in seiner Diözese zu unterrichten. Unwissende und unsittliche Priester wurden entlassen und so weit wie möglich durch gläubige und gebildete Leute ersetzt. Der Bischof wünschte sich sehnlichst, dass all seine Leute Zugang zum Wort Gottes erhielten, was bald erreicht wurde. Lefèvre machte sich an die Übersetzung des Neuen Testaments. Genau zur selben Zeit, als Luthers deutsche Bibel in Wittenberg gedruckt war, wurde in Meaux das Neue Testament in Französisch veröffentlicht. Der Bischof scheute weder Mühen noch Kosten, um es in seinen Pfarrbezirken zu verbreiten, und bald waren die Bauern von Meaux im Besitz der Heiligen Schrift.

Wie von Durst gequälte Wanderer, die sich mit Freuden auf eine sprudelnde Wasserquelle stürzen, nahmen diese Menschen die Botschaft des Himmels auf. Feldarbeiter und Handwerker waren alle froh, wenn sie bei ihrer täglichen Arbeit über die kostbaren Wahrheiten der Bibel sprechen konnten. Statt am Feierabend ins Wirtshaus zu gehen, versammelten sie sich in ihren Häusern, lasen im Wort Gottes, beteten zusammen und lobten den Herrn. Bald machte sich in diesen Gemeinden eine große Veränderung bemerkbar. Obwohl sie dem untersten Stand der ungebildeten und hart arbeitenden Landbevölkerung angehörten, zeigte sich in ihrem Leben die erneuernde und erhebende Kraft der göttlichen Gnade. Sie waren demütige, liebevolle und heilige Menschen und bezeugten, was das Evangelium bei denen bewirken kann, die es in aller Aufrichtigkeit annehmen.

Das in Meaux entzündete Licht ließ seine Strahlen weit hinaus leuchten, und täglich nahm die Zahl der Neubekehrten zu. Die Wut des Priestertums konnte eine Zeit lang durch den König in Schach gehalten werden. Er verachtete den engstirnigen Eifer der Mönche, aber letztlich gewannen die päpstlichen Führer die Oberhand. Nun wurde der Scheiterhaufen aufgeschichtet. Als der Bischof von Meaux zwischen Feuer und Widerruf wählen musste, wählte er den leichteren Weg. Aber trotz des Rückfalls des Hirten blieb seine Herde fest. Viele bezeugten die

Wahrheit inmitten der Flammen. Durch ihren Mut und ihre Treue auf dem Scheiterhaufen sprachen diese demütigen Christen zu Tausenden, die in den Tagen des Friedens nie ihr Zeugnis gehört hatten.

Es waren nicht nur die Einfachen und Armen, die unter Spott und Leiden Zeugnis für Christus abzulegen wagten. In fürstlichen Gemächern und Palästen gab es edle Gläubige auch königlichen Geblüts, denen die Wahrheit mehr bedeutete als Rang, Reichtum und selbst das Leben. Eine ritterliche Rüstung verbarg oft einen erhabeneren und standhafteren Geist als Talar und Mitra.

LOUIS DE BERQUIN ...

Louis de Berquin war von adliger Herkunft, ein tapferer und höfischer Ritter mit feinen Umgangsformen und tadellosem Charakter, der gern studierte. »Er war«, sagt ein Schriftsteller, »sehr eifrig bei der Beachtung aller päpstlichen Einrichtungen, besuchte genau alle Messen und Predigten ... und setzte allen seinen übrigen Tugenden dadurch die Krone auf, dass er das Luthertum ganz besonders verabscheute.« Doch wie viele andere Menschen, die durch göttliche Vorsehung zum Studium der Bibel geführt wurden, war er erstaunt, hier nicht etwa »die Satzungen Roms, sondern die Lehren Luthers« (WHP, XIII, 9, 159) zu finden, und widmete sich von nun an ganz der Sache des Evangeliums.

Er war »der gelehrteste Adlige von Frankreich«, ein Günstling des Königs und wegen seiner Begabung, seiner Beredsamkeit, seines unbeugsamen Muts, seines heldenhaften Eifers und seines Einflusses am Hof von vielen Zeitgenossen dafür angesehen, der Reformator seines Landes zu werden. Beza sagt: »Berquin wäre ein zweiter Luther geworden, hätte er in Franz I. einen zweiten Kurfürsten gefunden.« »Er ist schlimmer als Luther«, schrien die Anhänger des Papsttums. (WHP, XIII, 9) Tatsächlich fürchteten ihn die Anhänger Roms in Frankreich mehr als Luther. Sie warfen ihn als Ketzer in den Kerker, doch der König ließ ihn frei. Der Kampf dauerte Jahre. König Franz schwankte zwischen Rom und der Reformation und tolerierte oder unterdrückte wechselweise den wilden

Eifer der Mönche. Berquin wurde dreimal von den päpstlichen Behörden verhaftet und kurz darauf von dem Monarchen wieder auf freien Fuß gesetzt. Der König bewunderte dessen Genialität und weigerte sich, diesen edlen Charakter der Bosheit der Priesterschaft preiszugeben.

Wiederholt wurde Berquin vor der Gefahr gewarnt, die ihm in Frankreich drohte, und man empfahl ihm dringend, denen zu folgen, die im freiwilligen Exil Sicherheit gefunden hatten. Der schüchterne, unbeständige Erasmus, dem trotz all seiner glänzenden Gelehrsamkeit jene moralische Größe fehlte, die Leben und Ehre der Wahrheit unterordnet, schrieb an Berquin: »Halte darum an, als Gesandter ins Ausland geschickt zu werden. Bereise Deutschland. Du kennst Beda und seinesgleichen – er ist ein tausendköpfiges Ungeheuer, welches Gift nach allen Seiten ausspeit. Deine Feinde heißen Legion. Selbst wenn deine Sache besser wäre als die Jesu Christi, so würden sie dich nicht gehen lassen, bis sie dich elendiglich umgebracht haben. Verlasse dich nicht allzu sehr auf den Schutz des Königs. Auf jeden Fall bringe mich nicht in Ungelegenheiten bei der theologischen Fakultät.« (WHP, XIII, 9; vgl. EOE, 2, 1206)

Als die Gefahr zunahm, wurde Berquin nur umso eifriger. Er war weit davon entfernt, den diplomatischen und selbstsüchtigen Ratschlag des Erasmus anzunehmen, und entschloss sich zu noch kühneren Maßnahmen. Er verteidigte nicht nur die Wahrheit, sondern griff den Irrtum direkt an. Die Romtreuen beschuldigten ihn der Ketzerei, er hingegen konfrontierte sie selbst mit diesem Vorwurf. Seine rührigsten und erbittertsten Gegner waren die gelehrten Doktoren und Mönche an der theologischen Fakultät der großen Universität von Paris, eine der höchsten kirchlichen Autoritäten sowohl für die Stadt als auch für das ganze Land. Aus den Schriften dieser Gelehrten wählte Berquin zwölf Lehrsätze aus, die er öffentlich »der Bibel widersprechend und ketzerisch« nannte. Er wandte sich an den König und bat ihn, Schiedsrichter in dieser Auseinandersetzung zu sein.

Der Monarch war nicht abgeneigt, das Gewicht und den Scharfsinn der beiden streitenden Parteien ans Licht zu bringen. Endlich hatte er Gelegenheit, den Hochmut dieser stolzen Mönche zu demütigen.

Deshalb bat er sie, ihre Sache anhand der Bibel zu verteidigen. Diese wussten sehr wohl, dass sie mit dieser Waffe nicht umgehen konnten. Kerker, Folter und Scheiterhaufen handhabten sie viel besser. Nun waren die Rollen vertauscht, und die Mönche drohten selbst in die Grube zu fallen, die sie für Berquin gegraben hatten. In ihrer Verlegenheit suchten sie einen Ausweg aus dieser Klemme.

... EIN FRANZÖSISCHER MÄRTYRER

»Gerade zu dieser Zeit wurde ein Standbild der Jungfrau Maria an einer Straßenecke verstümmelt aufgefunden.« In der Stadt herrschte darüber große Aufregung. Scharen von Menschen strömten auf den Platz und brachten Trauer und Empörung zum Ausdruck. Auch der König zeigte sich tief betroffen. Hier bot sich den Mönchen eine Gelegenheit, aus der sie Nutzen ziehen konnten und sofort reagierten sie entsprechend. »Dies sind die Früchte der Lehren Berquins«, riefen sie. »Alles geht seinem Umsturz entgegen – die Religion, die Gesetze, ja selbst der Thron – infolge dieser lutherischen Verschwörung.« (WHP, XII, 9, 159)

Berquin wurde erneut verhaftet. Der König zog sich aus Paris zurück, und so hatten die Mönche freie Hand, nach ihrem Willen zu handeln. Der Reformator wurde zum Tode verurteilt. Um zu verhindern, dass Franz einschritt und ihn nochmals rettete, vollzog man das Urteil gleich am Tag der Verkündung. Zur Mittagszeit führte man Berquin zum Richtplatz. Eine riesige Menschenmenge hatte sich dort versammelt. Viele sahen mit Erstaunen und Besorgnis, dass das Opfer aus einer der besten und edelsten Familien Frankreichs stammte. Verblüffung, Empörung, Verachtung und bitterer Hass standen in den Gesichtern der wogenden Menge. Aber auf Berquins Antlitz war kein Schatten zu sehen. Die Gedanken des Märtyrers waren weit entfernt von diesem Schauplatz des Aufruhrs. Er war sich nur der Gegenwart des Herrn bewusst.

Der erbärmliche Schinderkarren, auf dem er gezogen wurde, die düsteren Blicke seiner Verfolger, der schreckliche Tod, den er vor sich hatte, all dies beachtete er nicht. Der Lebendige, der tot war und in

Ewigkeit lebt, der die Schlüssel des Todes und der Hölle hat (Offenbarung 1,18), war bei ihm. Berquins Antlitz leuchtete von himmlischem Licht und Frieden. »Er war mit einem Samtrock sowie mit Gewändern von Atlas und Damast angetan und trug goldbestickte Beinkleider.« (DAGC, II, 16) Nun würde er seinen Glauben in Gegenwart des Königs aller Könige und vor dem ganzen Universum bekennen, und keine Trauer sollte seine Freude verhüllen.

Als sich der Zug langsam durch die bevölkerten Straßen der Stadt bewegte, bestaunte die Menge verwundert den ungetrübten Frieden und die freudige Siegesgewissheit seines Blicks und seiner Haltung. »Er ist«, sagten sie, »wie einer, der in einem Tempel sitzt und über heilige Dinge nachdenkt.« (WHP, XIII, 9)

Vom Scheiterhaufen aus wollte Berquin einige Worte an die Menge richten. Aber die Mönche fürchteten die Folgen einer solchen Ansprache und begannen zu schreien, die Soldaten schepperten mit ihren Waffen und der Lärm übertönte Berquins Worte. »Auf diese Weise setzte im Jahre 1529 die höchste gelehrte und kirchliche Autorität in dem gebildeten Paris der Bevölkerung von 1793 das gemeine Beispiel, auf dem Schafott die ehrwürdigen Worte eines Sterbenden zu ersticken.« (WHP, XIII, 9)

IM KEIM ERSTICKT

Berquin wurde erdrosselt und sein Körper den Flammen übergeben. Bei der Nachricht von seinem Tod trauerten die Freunde der Reformation in ganz Frankreich. Aber sein Beispiel war nicht vergebens. »Wir wollen«, sagten die Zeugen der Wahrheit, »mit gutem Mut dem Tod entgegengehen, indem wir unseren Blick auf das jenseitige Leben richten« (DAGR, II, 16).

Während der Verfolgungen in Meaux wurde den Lehrern des reformierten Glaubens die Erlaubnis entzogen, zu predigen und so zogen sie in andere Gebiete. Lefèvre ging bald darauf nach Deutschland. Farel kehrte in seine Geburtsstadt (Gap in der Dauphiné) zurück und verbreitete das Licht in der Gegend, wo er seine Kindheit verbracht hatte. Dort wusste man schon, was in Meaux vorgefallen war, und die Wahrheit, die er mit furchtlosem Eifer verkündete, fand ihre Zuhörer. Bald wurden die Behörden gegen ihn aufgehetzt, um ihn zum Schweigen zu bringen, und er wurde aus der Stadt ausgewiesen. Obwohl er nicht mehr öffentlich arbeiten konnte, zog er durch Täler und Dörfer, predigte in Privathäusern und auf einsamen Auen. In Wäldern und felsigen Höhlen fand er Unterschlupf, wo er sich bereits in seiner Jugendzeit aufgehalten hatte. Gott bereitete ihn für größere Prüfungen vor. »Kreuz und Verfolgung und die Umtriebe Satans«, schrieb er, »haben mir nicht gefehlt; sie sind stärker gewesen, als dass ich aus eigener Kraft sie hätte aushalten können; aber Gott ist mein Vater, er hat mir alle nötige Kraft verliehen und wird es auch ferner tun.« (DAGR, XII, 9, 344)

Wie in den Tagen der Apostel diente die Verfolgung »zur Förderung des Evangeliums«. (Philipper 1,12) Nachdem sie aus Paris und Meaux vertrieben worden waren, »zogen [sie] umher und predigten das Wort« (Apostelgeschichte 8,4). Auf diese Weise fand das Licht seinen Weg in viele der entlegensten Provinzen Frankreichs.

DER JUNGE CALVIN UND OLIVÉTAN

Gott bereitete immer wieder Mitarbeiter vor, die sein Wort verbreiteten. In einer Pariser Schule gab es einen aufmerksamen, stillen jungen Mann, der sich schon früh durch einen starken und scharfen Verstand auszeichnete. Auch durch tadelloses Leben, intellektuellen Eifer sowie religiöse Hingabe machte er auf sich aufmerksam. Begabung und Fleiß ließen ihn bald zum Stolz seiner Schule werden, und es wurde erwartet, dass Johannes Calvin einer der fähigsten und geehrtesten Verteidiger der Kirche werden würde. Aber ein Strahl göttlichen Lichts durchdrang auch diese Mauern der Scholastik und des Aberglaubens, die Calvin umgaben. Mit Schaudern hörte er von den neuen Lehren, und er hatte nicht den geringsten Zweifel, dass die Ketzer das Feuer verdienten, dem sie übergeben worden waren. Ohne es zu wissen, wurde er mit der Ketzerei konfrontiert und gezwungen, den Anspruch der katholischen Theologie zu prüfen, um damit die protestantischen Lehren zu bekämpfen.

Ein Vetter Calvins (Pierre-Robert Olivétan), der sich der Reformation angeschlossen hatte, befand sich in Paris. So trafen sich die beiden Verwandten oft zu Gesprächen über Dinge, die das Christentum beunruhigten. »Es gibt nur zwei Religionen in der Welt«, sagte der Protestant Olivétan, »die eine Klasse ist die, welche die Menschen erfunden haben und nach denen die Menschen sich durch Zeremonien und gute Werke retten; die andere ist die Religion, welche in der Bibel offenbart ist und die Menschen lehrt, für die Erlösung nur nach der freien Gnade Gottes zu schauen.«

»Weg mit euren neuen Lehren!«, rief Calvin. »Bildet ihr euch ein, dass ich mein ganzes Leben lang im Irrtum gewesen bin?« (WHP, XIII, 7)

Aber die Gedanken, die ihn jetzt gefangen hielten, wurde er nicht mehr los, und wenn er in seinem Zimmer allein war, dachte er über die Worte seines Vetters nach. Sündenbewusstsein überfiel ihn. Er sah sich ohne Mittler in der Gegenwart eines heiligen und gerechten Richters. Fürsprache durch Heilige, gute Werke, kirchliche Zeremonien, sie alle hatten keine Macht, um Sünde zu sühnen. Er sah vor sich nichts anderes als das Dunkel ewiger Verzweiflung. Vergeblich versuchten die Kirchengelehrten, sein Leid zu lindern. Beichte und Bußübungen brachten nichts, denn sie konnten ihn nicht mit Gott versöhnen.

Calvin war noch in seine fruchtlosen inneren Kämpfe verwickelt, als er zufällig auf einem öffentlichen Platz sah, wie ein Ketzer verbrannt wurde. Er bewunderte den Frieden, den das Antlitz dieses Märtyrers ausstrahlte. Unter den Qualen dieses schrecklichen Todes und unter der noch schrecklicheren Verdammung durch die Kirche zeigte dieser Verurteilte Glauben und Mut, die der junge Student im Vergleich zu seiner eigenen Verzweiflung und Finsternis sah, obwohl er doch im strengsten Kirchengehorsam lebte. Er wusste, dass sich diese Ketzer mit ihrem Glauben auf die Bibel stützten. Er entschloss sich, diese zu studieren, um dadurch möglicherweise dem Geheimnis ihrer Freude auf die Spur zu kommen.

In der Bibel fand er Christus. »O Vater!«, rief er aus, »sein Opfer hat deinen Zorn besänftigt, sein Blut hat meine Flecken gereinigt, sein Kreuz hat meinen Fluch getragen, sein Tod hat für mich Genugtuung geleistet. Wir hatten viel unnütze Torheiten geschmiedet; aber du hast mir dein Wort gleich einer Fackel gegeben, und du hast mein Herz gerührt, damit ich jedes andere Verdienst, ausgenommen das des Erlösers, verabscheue.« (MLTL, III, 13; vgl. COL, 123)

Calvin sollte Priester werden. Schon im Alter von zwölf Jahren war er zum Kaplan einer kleinen Gemeinde ernannt worden, und in Übereinstimmung mit den kanonischen Regeln der Kirche hatte ihm der Bischof das Haupt geschoren. Zwar wurde er nicht zum Priester geweiht und führte nie das Amt eines Priesters aus, doch war er ein Mitglied der Geistlichkeit, hatte einen entsprechenden Amtstitel und auch ein Gehalt.

Nun fühlte er, dass er nie Priester werden würde, und wandte sich für einige Zeit dem Studium der Rechte zu, gab aber schließlich diesen Plan auf und entschloss sich, sein Leben in den Dienst des Evangeliums zu stellen. Calvin zögerte jedoch, eine öffentliche Lehrtätigkeit anzunehmen. Von Natur aus war er schüchtern. Das Bewusstsein einer großen Verantwortung lastete schwer auf ihm, deshalb entschied er sich zum weiteren Studium. Am Ende gab er jedoch den ernsten Bitten seiner Freunde nach. »Wunderbar ist es«, sagte er, »dass einer von so niedriger Herkunft zu so hoher Würde erhoben werden sollte.« (WHP, XIII, 9)

VERKÜNDIGUNG IN PRIVATRÄUMEN

Im Stillen begann Calvin seine Arbeit, und seine Worte waren wie Tau, der auf die Erde fällt, um diese zu erfrischen. Er hatte Paris verlassen und hielt sich in einer Provinzstadt unter dem Schutz von Prinzessin Margarete von Parma auf, die das Evangelium liebte und ihm und seinen Jüngern den notwendigen Schutz gewährte. Calvin war noch immer ein anspruchsloser, bescheidener junger Mann. Er begann seine Aufgabe in den Häusern der Leute, las mit ihnen die Bibel und erklärte die Heilswahrheiten. Wer die gute Nachricht hörte, erzählte sie anderen weiter, und bald lehrte Calvin in den umliegenden Orten der Stadt. Er fand Zugang zu Schlössern und Hütten und gründete Gemeinden, die furchtlos die Wahrheit bezeugten.

Nach einigen Monaten war er wieder in Paris. Im Kreis der Gebildeten und Gelehrten herrschte eine ungewohnte Aufregung. Das Studium der alten Sprachen hatte die Menschen zur Bibel geführt. Viele, die von ihren Wahrheiten bisher nicht berührt waren, diskutierten nun eifrig über sie und stritten sogar mit den Verfechtern des römischen Glaubens. Obwohl Calvin auf dem Gebiet der theologischen Auseinandersetzung sehr bewandert war, hatte er einen würdevolleren Auftrag, als sich in den Gelehrtenstreit unter diesen lärmenden Schulweisen zu stürzen. Die Menschen waren aufgewühlt, und nun schien die Zeit gekommen, ihnen die Wahrheit nahezubringen. Während die Hörsäle der Universitäten erfüllt waren mit dem Geschrei theologischer Streitgespräche, ging Calvin von Haus zu Haus, öffnete mit den Menschen die Bibel und sprach mit ihnen über Christus, den Gekreuzigten.

Nach Gottes Vorsehung sollte Paris eine weitere Möglichkeit erhalten, das Evangelium anzunehmen. Der Aufruf Lefèvres und Farels war verworfen worden, doch nun sollten alle Volksschichten dieser großen Metropole die Botschaft erneut hören. Aus politischen Überlegungen hatte sich der König noch nicht völlig für Rom und gegen die Reformation entschieden. Margarete hoffte noch immer, der Protestantismus werde in Frankreich siegen. Sie beschloss, dass der reformierte Glaube in Paris gepredigt werden sollte. Während der Abwesenheit des Königs beauftragte sie einen evangelischen Prediger mit der Verkündigung in den Kirchen der Stadt. Als die Geistlichkeit dies verbot, öffnete die Prinzessin ihren Palast. Ein Zimmer wurde als Kapelle hergerichtet, und es wurde bekannt gegeben, dass hier jeden Tag zu einer bestimmten Stunde eine Predigt gehalten werde und jedermann dazu eingeladen sei. Das Volk strömte in Scharen zu diesen Gottesdiensten. Nicht nur die Kapelle, sondern auch die Vorzimmer und Hallen waren zum Bersten voll. Tausende kamen jeden Tag zusammen: Adlige, Staatsmänner, Rechtsgelehrte, Kaufleute und Handwerker. Der König verbot die Versammlungen nicht, sondern ordnete an, dass zwei Kirchen in Paris dafür geöffnet werden sollten. Noch nie zuvor war die Stadt vom Wort Gottes so bewegt worden. Es schien, als sei der Geist des Lebens vom Himmel auf das Volk herabgekommen. Mäßigkeit, Reinheit, Ordnung und Fleiß traten an die Stelle von Trunkenheit, Ausschweifung, Zwietracht und Müßiggang.

Die Priesterschaft war jedoch nicht untätig. Da der König sich nach wie vor weigerte, die Predigt zu verbieten, wandten sich die Geistlichen an die Bevölkerung. Man scheute keine Mittel, um die Furcht, die Vorurteile und den Fanatismus der unwissenden und abergläubischen Menge zu erregen. Wie seinerzeit Jerusalem überließ sich Paris blind den falschen Lehrern und erkannte weder die Zeit seiner Heimsuchung noch die Dinge, die zu seinem Frieden dienten. Zwei Jahre lang wurde das Wort in der französischen Hauptstadt gepredigt, aber während viele es annahmen, verwarf es doch die Mehrheit der Bevölkerung. Die religiöse Duldung durch König Franz war gespielt und diente nur eigenen Absichten. Die Anhänger des Papsttums gewannen wieder die Oberhand, die Kirchen wurden abermals geschlossen und Scheiterhaufen errichtet.

VERKÜNDIGUNG IN DER PROVINZ

Calvin war noch in Paris. Durch Studium, Nachdenken und Gebet bereitete er sich auf seine zukünftige Aufgabe vor, weiterhin das Licht zu verbreiten. Schließlich geriet auch er in Verdacht. Die Verwaltung war entschlossen, ihn den Flammen zu übergeben. In seiner Abgeschiedenheit glaubte er sich sicher und dachte an keine Gefahr, als Freunde in sein Zimmer stürmten und ihm berichteten, dass Beamte auf dem Weg seien, ihn zu verhaften. Schon hörte man lautes Klopfen an der Außentür. Nun galt es, keine Sekunde zu verlieren. Einige seiner Freunde hielten die Beamten am Eingang auf, während andere dem Reformator halfen, aus dem Fenster zu steigen. Schnell machte er sich auf den Weg zu den Außenbezirken der Stadt. In der Hütte eines Landarbeiters, eines Freundes der Reformation, fand er Zuflucht. Mit dem Gewand seines Gastgebers verkleidet und einer Hacke auf den Schultern setzte er seine Flucht fort. Er reiste Richtung Süden und fand auf den Besitzungen Margaretes Zuflucht. (DAGR, II, 30)

Hier blieb er einige Monate im Schutz mächtiger Freunde und führte wie zuvor sein Studium fort. Doch die Verbreitung des Evangeliums in Frankreich lag ihm sehr am Herzen, und er konnte nicht länger untätig bleiben. Nachdem sich der Sturm etwas gelegt hatte, fand er in der Universitätsstadt Poitiers ein neues Arbeitsfeld, wo die neuen Lehren schon gut aufgenommen worden waren. Leute aus allen Volksschichten hörten freudig dem Evangelium zu. Die Predigten waren nicht öffentlich, sondern fanden im Haus des Bürgermeisters in dessen Privaträumen statt. Zuweilen predigte Calvin auch in Parkanlagen das Wort des ewigen Lebens für diejenigen, die es hören wollten. Als die Zuhörerzahl nach einer gewissen Zeit anstieg, zog man es aus Sicherheitsgründen vor, sich außerhalb der Stadt zu versammeln. Eine Höhle in einer tiefen und engen Bergschlucht, wo Bäume und überhängende Felsen die Einsamkeit vollständig machten, wurde als Versammlungsort gewählt. Die Zuhörer verließen die Stadt in kleinen Gruppen auf verschiedenen Straßen und trafen sich an diesem Ort. Hier an dieser abgelegenen Stätte wurde die Bibel laut vorgelesen und erklärt. Hier wurde zum ersten Mal von Protestanten in Frankreich das Abendmahl gefeiert. Von dieser kleinen Gemeinschaft wurden mehrere treue Evangelisten in die Welt gesandt.

Noch einmal kehrte Calvin nach Paris zurück. Nicht einmal jetzt wollte er die Hoffnung aufgeben, dass Frankreich als Nation die Reformation annehmen würde. Für ihn blieben aber fast alle Türen verschlossen. Das Evangelium zu predigen hieß, den direkten Weg auf den Scheiterhaufen einzuschlagen. Da entschloss er sich, nach Deutschland aufzubrechen. Kaum hatte er Frankreich verlassen, brach ein Sturm über die Protestanten herein. Wäre er geblieben, hätte dies sicher zu seinem Tod geführt.

UNKLUGER ÜBEREIFER UND SEINE FOLGEN

Die französischen Reformatoren hätten es gerne gesehen, wenn ihr Land mit Deutschland und der Schweiz Schritt gehalten hätte. Sie entschieden sich daher, einen mutigen Schlag gegen den römischen Aberglauben auszuführen, der das ganze Land aufrütteln sollte. Dazu wurden in einer Nacht in ganz Frankreich Plakate gegen die Messe angeschlagen. Statt die Reformation zu fördern, stürzte dieser übereifrige und unkluge Schritt nicht nur seine Urheber, sondern auch die Freunde des reformierten Glaubens in ganz Frankreich ins Unglück. Nun hatten die Katholiken, was sie schon lange wünschten: einen Vorwand zur völligen Ausrottung der Ketzer als Aufwiegler, die die Sicherheit des Thrones und den Frieden im Land gefährdeten.

Es wurde nie bekannt, ob ein unbesonnener Freund oder ein gerissener Feind ein solches Plakat an der Tür zu den königlichen Privatgemächern angebracht hatte. Der König war empört. In dieser Schrift wurde der Irrglaube, der Jahrhunderte lang verehrt worden war, schonungslos angeprangert. Die beispiellose Verwegenheit, solch unschöne und Aufsehen erregende Äußerungen in die Gegenwart des Monarchen zu bringen, erregte seinen Zorn. Zitternd und sprachlos vor Entsetzen blieb er einen Augenblick stehen. Dann fasste er seine Wut in die schrecklichen Worte: »Man ergreife ohne Unterschied alle, die des Luthertums verdächtigt sind. ... Ich will sie alle ausrotten.« (DAGR, IV, 10) Die Würfel waren gefallen. Der König hatte sich entschieden, sich ganz auf die Seite Roms zu stellen.

Sofort wurden Maßnahmen getroffen, jeden Lutheraner in Paris zu verhaften. Ein armer Handwerker, ein Anhänger des reformierten Glaubens, der es gewohnt war, die Gläubigen zu den Geheimversammlungen zu führen, wurde festgenommen. Unter der Drohung, sofort auf dem Scheiterhaufen verbrannt zu werden, wurde ihm befohlen, die päpstlichen Abgesandten zum Haus eines jeden Protestanten in Paris zu führen. Vor dieser gemeinen Erpressung schreckte er zurück, doch aus Angst vor den Flammen stimmte er zu und willigte ein, der Verräter seiner Brüder zu werden. Hinter einer Hostie und mit einem Gefolge von Priestern, Weihrauchträgern, Mönchen und Soldaten schritt Jean Morin, der königliche Inquisitor, mit dem Verräter langsam und schweigend durch die Straßen der Stadt. Angeblich war diese Demonstration eine

Versöhnung für die Beleidigung, die »dem heiligen Sakrament« durch die Protestanten zugefügt worden war. Doch hinter diesem Prunk verbarg sich ein tödlicher Zweck. Wenn der Zug gegenüber dem Haus eines Lutheraners ankam, machte der Verräter ein Zeichen, aber es wurde kein Wort gesprochen. Der Zug hielt an, das Haus wurde betreten, die Familie herausgeschleppt, in Ketten gelegt, und die schreckliche Gruppe ging weiter auf der Suche nach neuen Opfern. »Er schonte weder große noch kleine Häuser noch die Gebäude der Universität. ... Vor Morin zitterte die ganze Stadt. ... Es war eine Zeit der Schreckensherrschaft.« (DAGR, IV, 10)

Die Opfer mussten unter grausamen Schmerzen sterben, denn auf besonderen Befehl wurde ihr Feuer abgeschwächt, um ihre Todesqualen zu verlängern. Aber sie starben als Sieger. Sie blieben standhaft und unerschütterlich, ihr Friede ungetrübt. Ihre Verfolger waren dieser unbeugsamen Festigkeit gegenüber machtlos und fühlten sich geschlagen. »Scheiterhaufen wurden in allen Stadtteilen von Paris errichtet, und das Verbrennen erfolgte an verschiedenen aufeinander folgenden Tagen in der Absicht, durch Ausdehnung der Hinrichtungen Furcht vor der Ketzerei zu verbreiten. Das wurde für das Evangelium allerdings vorteilhaft. Ganz Paris konnte sehen, was für Menschen die neuen Lehren hervorbrachten! Keine Kanzel konnte so beredt sein wie der Scheiterhaufen des Märtyrers. Die stille Freude, die auf den Angesichtern jener Menschen ruhte, wenn sie dem Richtplatz zuschritten, ihr Heldenmut inmitten der peinigenden Flammen, ihre sanftmütige Vergebung der Beleidigungen wandelten nicht selten den Zorn in Mitleid und den Hass in Liebe um und zeugten mit unwiderstehlicher Beredsamkeit für das Evangelium.« (WHP, XIII, 20)

EIN ADERLASS AN GELEHRSAMKEIT

Die Priester, die sich eifrig darum bemühten, die Wut des Volkes weiter zu schüren, verbreiteten die schrecklichsten Anklagen gegen die Protestanten. Man beschuldigte sie einer schlimmen Verschwörung, wonach die Katholiken massakriert, die Regierung gestürzt und der

König ermordet werden sollte. Zur Unterstützung dieser Behauptungen konnten jedoch nicht die geringsten Beweise erbracht werden. Dennoch sollten sich diese schrecklichen Vorhersagen erfüllen, wenn auch unter ganz anderen Umständen und mit völlig neuen Begründungen. Die Grausamkeiten, die den unschuldigen Protestanten von den Katholiken zugefügt wurden, erreichten schließlich ein Maß, das nach Vergeltung rief. So ereilte die Katholiken Jahrhunderte später genau jenes Schicksal, das man für den König, seine Regierung und seine Untertanen prophezeit hatte. Allerdings wurde es dann von Ungläubigen und den Anhängern des Papstes selbst herbeigeführt. Nicht die Einführung des Protestantismus, sondern seine Unterdrückung brachte 300 Jahre später dieses schreckliche Unheil über Frankreich.

Verdächtigungen, Misstrauen und Terror drangen nun durch alle Volksschichten. Der allgemeine Schrecken zeigte deutlich, welch tiefe Wurzeln die Lehren Luthers in Menschen geschlagen hatten, die sich durch Bildung, Einfluss und Charakter ausgezeichnet hatten. Vertrauensstellungen und Ehrenämter waren plötzlich unbesetzt. Handwerker, Drucker, Gelehrte, Universitätsprofessoren, Autoren und sogar Höflinge ließ man heimlich verschwinden. Hunderte flohen aus Paris, verließen ihre Heimat und gingen freiwillig ins Exil. In vielen Fällen wurde damit zum ersten Mal sichtbar, dass sie den reformierten Glauben bevorzugten. Als die Anhänger des Papsttums nach ihnen suchten, erschreckte sie der Gedanke, dass diese unerkannten Ketzer bislang unter ihnen geduldet worden waren. Nun ließen sie ihre Wut an den unzähligen, weniger gut gestellten Opfern aus, die sich in ihrer Gewalt befanden. Die Gefängnisse waren überfüllt und die gesamte Luft schien getrübt vom Rauch der Scheiterhaufen, die für die Zeugen des Evangeliums entzündet wurden.

Franz I. hatte sich gerühmt, ein großer Förderer der Bewegung zur Renaissance der Gelehrsamkeit zu sein, die den Beginn des 16. Jahrhunderts markierte. Es war ihm eine Ehre, Gelehrte aus allen Ländern an seinem Hof zu versammeln. Seine Liebe zur Gelehrsamkeit und seine Verachtung der Unwissenheit und des Aberglaubens der Mönche ist wenigstens teilweise für eine gewisse Duldung der Reformation verantwortlich. In seinem Eifer, der ihn zur Vernichtung der Ketzerei bewog, erließ dieser Schirmherr der Gelehrsamkeit ein Edikt, das Druckerzeugnisse in ganz Frankreich verbot. Dadurch lieferte Franz I. neben vielen anderen Beispielen den Beweis, dass Bildung keine Garantie gegen religiöse Intoleranz und Verfolgung ist.

Durch eine feierliche und öffentliche Zeremonie verpflichtete sich Frankreich, den Protestantismus völlig auszurotten. Die Priester verlangten, die Beleidigung, die dem Himmel durch die Missbilligung der Messe widerfahren war, müsse durch Blut gesühnt werden, und der König solle anstelle seines Volkes diese schreckliche Tat öffentlich genehmigen.

EINE ABSCHEULICHE HINRICHTUNG

Die schreckliche Zeremonie wurde auf den 21. Januar 1535 angesetzt. Die abergläubische Angst und der blinde Hass einer ganzen Nation war geschürt worden. Paris war voll von Menschen, die sich aus allen umliegenden Gegenden eingefunden hatten und die Straßen der Stadt bevölkerten. Mit einer großen, imposanten Prozession wurde der Tag eingeleitet. »Die Häuser an der Marschroute waren mit Trauerflor behangen; hier und dort waren Altäre aufgestellt.« Vor jeder Tür brannte eine Fackel zu Ehren des »heiligen Sakraments«. Vor Tagesanbruch formierte sich die Prozession beim königlichen Palast. »Zuerst kamen die Banner und Kreuze der verschiedenen Kirchspiele, dann erschienen paarweise Bürger mit Fackeln in den Händen.« Ihnen schlossen sich Vertreter der vier Mönchsorden in ihren unterschiedlichen Mönchsgewändern an. Dann folgte eine große Anzahl berühmter Reliquien. Dahinter ritten Kirchenfürsten in ihren purpurnen und scharlachfarbenen mit Juwelen besetzten Roben. Es war ein farbenprächtiger und glanzvoller Anblick.

»Die Hostie wurde vom Bischof von Paris unter einem kostbaren Baldachin getragen ... unterstützt von vier Prinzen von Geblüt. ... Hinter der Hostie ging der König. ... Franz I. trug an diesem Tag weder Krone noch königliche Gewänder.« Mit »entblößtem Haupt und gesenktem Blick, in der Hand eine brennende Kerze haltend«, erschien der König von Frankreich »als ein Büßender«. (WHP, XIII, 21) Vor jedem Altar verneigte er sich in Demut, nicht der Laster wegen, die sein Gewissen verunreinigt hatten, noch wegen des unschuldigen Blutes, mit dem seine Hände befleckt waren, sondern um der »Todsünde« seiner Untertanen willen, die es gewagt hatten, die Messe zu verdammen. Ihm folgten die Königin und die staatlichen Würdenträger, die auch zu zweit gingen, und jeder trug eine brennende Kerze in der Hand.

An jenem Tag hielt der König selbst im Bischofspalast als Teil dieser Handlungen eine Ansprache vor den hohen Beamten des Reiches. Mit sorgenvoller Miene erschien er vor ihnen und beklagte mit bewegten Worten »den Frevel, die Gotteslästerung, den Tag des Schmerzes und der Schande«, der über das Volk hereingebrochen sei, und forderte jeden treuen Untertanen auf, bei der Ausrottung dieser pestartigen Häresie mitzuhelfen, die Frankreich mit dem Untergang bedrohe. »So wahr ich euer König bin, ihr Herren, wüsste ich eines meiner eigenen Glieder von dieser abscheulichen Fäulnis befleckt und angesteckt, ich ließe es mir von euch abhauen. ... Noch mehr, sähe ich eines meiner Kinder damit behaftet, ich würde sein nicht schonen. ... Ich würde es selbst ausliefern und Gott zum Opfer bringen!« Tränen erstickten seine Stimme, und die ganze Versammlung stimmte weinend in die Worte ein: »Wir wollen leben und sterben für den katholischen Glauben!« (DAGR, IV, 12)

Eine schreckliche Finsternis legte sich auf die Nation, die das Licht der Wahrheit verworfen hatte. Die »heilsame Gnade« war erschienen, doch Frankreich wandte sich von diesem Licht ab und wählte die Finsternis, nachdem es die Macht und Heiligkeit dieser Gnade gesehen hatte, nachdem Tausende in Städten und Dörfern von der göttlichen Schönheit in den Bann gezogen worden waren. Es wies die himmlische Gabe zurück, als sie ihm angeboten wurde. Es nannte das Böse gut und das Gute böse, bis es seiner willentlichen Selbsttäuschung zum Opfer fiel. Die Menschen mögen geglaubt haben, sie hätten Gott durch die Verfolgung seines Volkes einen Dienst erwiesen, doch ihre Ernsthaftigkeit machte sie nicht schuldlos. Das Licht, das sie vor Verführung bewahrt hätte, vor ihrer Befleckung mit Blut, hatten sie eigenwillig verworfen.

Ein feierlicher Eid wurde in der gleichen großen Kathedrale abgelegt, in der fast dreihundert Jahre später die »Göttin der Vernunft« von einem Volk auf den Thron gesetzt wurde, das den lebendigen Gott aus den Augen verloren hatte. Die Prozession setzte sich wieder in Bewegung, und die Vertreter Frankreichs begannen das Werk, das sie sich zu tun geschworen hatten. »In kurzen Abständen waren Gestelle errichtet worden, auf denen Protestanten lebendig verbrannt werden sollten, und es wurde vereinbart, dass die Holzscheite in dem Augenblick entzündet werden sollten, wenn der König ankam, und dass die Prozession anhalten sollte, damit jedermann Zeuge der Hinrichtung wurde.« (WHP, XIII, 21) Die Einzelheiten dieser Folterqualen, die diese Zeugen Christi erleiden mussten, sind zu schrecklich, um sie zu schildern. Doch keines der Opfer wankte. Als man ihnen befahl zu widerrufen, antwortete einer: »Ich glaube nur, was die Propheten und Apostel ehemals gepredigt haben und was die ganze Gemeinschaft der Heiligen geglaubt hat. Mein Glaube setzt seine Zuversicht auf Gott und wird aller Gewalt der Hölle widerstehen.« (DAGR, IV, 12)

Immer wieder hielt der Zug an den Folterstätten an. Als man zum Ausgangspunkt am Königspalast zurückkam, verlief sich die Menge, der König und die Prälaten zogen sich zurück, jedermann war mit dem Ablauf zufrieden und man beglückwünschte sich, dass das angefangene Werk bis zur gänzlichen Ausrottung der Ketzerei fortgesetzt würde.

DIE FOLGEN DER ABLEHNUNG

Das Evangelium des Friedens, das Frankreich verworfen hatte, wurde nur zu gründlich ausgerottet, und die Folgen sollten schrecklich sein. Am 21. Januar 1793, genau 258 Jahre nach jenem Tag, an dem sich Frankreich entschloss, die Reformatoren zu verfolgen, zog eine andere Prozession mit einer ganz anderen Absicht durch die Straßen von

Paris. »Abermals war der König die Hauptperson, abermals erhoben sich Tumult und Lärm; wiederum wurde der Ruf nach mehr Opfern laut; aufs Neue gab es schwarze Schafotte, und nochmals wurden die Geschehnisse des Tages mit schrecklichen Hinrichtungen beschlossen. Ludwig XVI., der kämpfte, um den Händen seiner Kerkermeister und Henker zu entwischen, wurde auf den Henkerblock geschleppt und hier mit Gewalt festgehalten, bis das Beil gefallen war und sein abgeschlagenes Haupt auf das Schafott rollte.« (WHP, XIII, 21) Der König war nicht das einzige Opfer. In der Nähe desselben Orts kamen noch 2.800 Menschen während der blutigen Zeit dieser Schreckensherrschaft durch die Guillotine ums Leben.

Die Reformation hatte der Welt die geöffnete Bibel gebracht, die Vorschriften des Gesetzes Gottes entsiegelt und seine Ansprüche in das Volksgewissen eingeprägt. Die Menschen wurden durch die unendliche Liebe mit den Satzungen und Ordnungen des Himmels vertraut gemacht. Gott sprach zu den Menschen: »So haltet sie nun und tut sie! Denn dadurch werdet ihr als weise und verständig gelten bei allen Völkern, dass, wenn sie alle diese Gebote hören, sie sagen müssen: Ei, was für weise und verständige Leute sind das, ein herrliches Volk!« (5. Mose 4,6) Als Frankreich die Himmelsgabe verschmähte, wurde die Saat der Anarchie und des Verderbens ausgesät, und die unausbleibliche Folge waren Revolution und Schreckensherrschaft.

FAREL UND FROMENT IN DER WESTSCHWEIZ

Lange vor dem Plakatanschlag und der darauf einsetzenden Verfolgung sah sich der mutige Kämpfer Farel gezwungen, sein Vaterland zu verlassen. Er zog sich in die Schweiz zurück. Durch seine Arbeit unterstützte er das Werk Zwinglis und half der Reformation zum Durchbruch. Dort verbrachte er seine späteren Jahre und übte einen entscheidenden Einfluss auf die Reformation in Frankreich aus. Während der ersten Jahre seines Exils bemühte er sich besonders um die Verbreitung des Evangeliums in seinem Geburtsland. Er verbrachte viel Zeit damit, seinen

Landsleuten im grenznahen Gebiet das Evangelium zu verkündigen. Von hier aus verfolgte er den Religionskampf mit unermüdlicher Wachsamkeit und war mit ermutigenden Worten und Ratschlägen behilflich. Mit Unterstützung anderer Emigranten wurden die Schriften der deutschen Reformatoren ins Französische übersetzt und zusammen mit der französischen Bibel in hohen Auflagen gedruckt. Durch Hausierer wurden diese Werke in großen Stückzahlen in ganz Frankreich verkauft. Sie wurden den Geschäftsreisenden zu einem niedrigen Preis angeboten und durch den Gewinn waren diese in der Lage, weiterzuarbeiten.

Farel begann seine Arbeit in der Schweiz im bescheidenen Gewand eines Lehrers. In einer abgeschiedenen Kirchengemeinde widmete er sich der Erziehung der Kinder. Neben den allgemeinen Lehrfächern unterrichtete er vorsichtig biblische Wahrheiten und hoffte, durch die Kinder die Eltern zu erreichen. Einige glaubten, aber die Priester traten dazwischen, unterbanden die Arbeit, und die abergläubische Landbevölkerung wurde aufgestachelt, sich zu widersetzen. »Das kann nicht das Evangelium Christi sein«, betonten die Priester, »denn die Verkündigung bringt nicht Frieden, sondern Krieg.« (WHP, XIV, 3) Wenn er in einer Stadt verfolgt wurde, floh er gleich den ersten Jüngern in eine andere. Er wanderte zu Fuß von Dorf zu Dorf, von Stadt zu Stadt, ertrug Hunger, Kälte und Müdigkeit und war überall in Lebensgefahr. Er predigte auf Marktplätzen, in Kirchen, manchmal auf den Kanzeln der Kathedralen. Hin und wieder war die Kirche leer, zuweilen wurde seine Predigt durch Geschrei unterbrochen, dann wurde er wieder gewaltsam von der Kanzel heruntergerissen. Mehrmals griff ihn die lärmende Menge an und prügelte ihn fast zu Tode. Aber er ging seinen Weg. Obwohl er oft abgewiesen wurde, kehrte er unermüdlich in den Kampf zurück. Nach und nach sah er, wie Dörfer und Städte, die Hochburgen des Papsttums gewesen waren, dem Evangelium ihre Tore öffneten. Die kleine Kirchengemeinde, in der er zuerst gewirkt hatte, nahm bald den reformierten Glauben an. Die Städte Murten und Neuenburg gaben ebenfalls die römischen Riten auf und entfernten die götzendienerischen Bilder aus ihren Kirchen.

SOLUS CHRISTUS

Farel hatte schon lange vor, den protestantischen Glauben in Genf zu verbreiten. Könnte diese Stadt gewonnen werden, würde sie zum Zentrum der Reformation für Frankreich, die Schweiz und Italien werden. Mit diesem Ziel vor Augen arbeitete er in vielen umliegenden Ortschaften, bis diese den reformierten Glauben annahmen. Dann betrat er mit einem einzigen Gefährten Genf. Er durfte nur zwei Predigten halten. Die Priester, die vergeblich versucht hatten, eine Verurteilung Farels vor zivilen Behörden zu erreichen, führten ihn vor einen Kirchenrat, zu dem sie mit Waffen kamen, die unter ihren Gewändern versteckt waren, um ihn zu töten. Mit Schlagstöcken und Schwertern bewaffnet, versammelte sich vor der Halle eine wütende Menge, die bereit war, ihn umzubringen, sollte er dem Rat entkommen. Allein die Anwesenheit von Verwaltungsbeamten und bewaffneten Soldaten rettete ihm das Leben. Am folgenden Morgen wurde er mit seinem Gefährten über den See an einen sicheren Ort geleitet. So endete Farels erster Versuch, in Genf das Evangelium zu verkündigen.

Für den nächsten Anlauf wurde ein einfacheres Werkzeug auserwählt. Es war ein junger Mann von so bescheidenem Auftreten, dass ihn sogar die bekennenden Freunde der Reformation kühl behandelten. Was sollte denn solch ein Mensch dort erreichen, wo ein Farel zurück gewiesen worden war? Wie konnte einer, dem es an Mut und Erfahrung fehlte, einem Sturm widerstehen, der die Stärksten und Tapfersten in die Flucht geschlagen hatte? »Es soll nicht durch Heer oder Kraft, sondern durch meinen Geist geschehen, spricht der Herr Zebaoth.« (Sacharja 4,6) »Was töricht ist vor der Welt, das hat Gott erwählt, damit er die Weisen zuschanden mache« (1. Korinther 1,27), »denn die Torheit Gottes ist weiser, als die Menschen sind, und die Schwachheit Gottes ist stärker, als die Menschen sind.« (1. Korinther 1,25)

Froment fing seine Arbeit als Lehrer an. Die Wahrheiten, die er den Kindern in der Schule beibrachte, erzählten diese zu Hause. Bald tauchten auch die Eltern im Schulzimmer auf, um bei seinen Bibelerklärungen zuzuhören, bis der ganze Raum von aufmerksamen Hörern

Gemälde: DIE VERWEIGERUNG | Calvin verwehrt das Abendmahl

gefüllt war. Ausgaben des Neuen Testaments und Traktate wurden gratis verteilt und kamen dadurch in die Hände vieler, die es nicht wagten, den neuen Lehren offen zuzuhören. Nach einiger Zeit wurde auch dieser Wortverkünder in die Flucht geschlagen, aber seine Verkündigung blieb im Gedächtnis der Leute. Die Reformation hatte Wurzeln geschlagen, wurde kräftiger und breitete sich immer weiter aus. Die Prediger kamen zurück, und durch ihre Arbeit fand der protestantische Gottesdienst in Genf Aufnahme.

CALVIN IN GENF

Die Stadt hatte sich bereits zur Reformation bekannt, als Calvin nach mancher Irrfahrt und nach wechselvollen Zeiten durch ihre Tore eintrat. Er kam von einem letzten Besuch seiner Geburtsstadt und befand sich auf dem Weg nach Basel, als er erfuhr, dass die direkte Straße von Truppen Karls V. besetzt war und er den Umweg über Genf nehmen musste.

In diesem Besuch erkannte Farel die Hand Gottes. Obwohl Genf den reformierten Glauben angenommen hatte, galt es dort noch eine große Aufgabe zu erfüllen. Die Bekehrung zu Gott ist ja nicht Sache eines Gemeinwesens, sondern von einzelnen Menschen. Herz und Gewissen eines Menschen werden durch die Macht des Heiligen Geistes erneuert, nicht durch die Beschlüsse von Stadträten. Wohl hatten die Genfer die Autorität Roms abgeschüttelt, doch sie waren noch nicht bereit, die Laster abzulegen, die unter der römischen Herrschaft blühten. Es war keine leichte Aufgabe, hier die wahren Werte des Evangeliums aufzurichten und dieses Volk darauf vorzubereiten, die Stellung würdig auszufüllen, zu der Gott sie berufen wollte.

Farel war überzeugt, dass er in Calvin jemanden gefunden hatte, mit dem er sich diese Arbeit teilen konnte. Er beschwor den jungen Evangelisten, in Gottes Namen in Genf zu bleiben und dort zu arbeiten. Erschrocken wich Calvin zurück. Er war furchtsam und friedliebend und hatte Angst davor, dem ungestümen, unabhängigen, ja hitzigen Geist der Genfer zu begegnen. Eine angeschlagene Gesundheit und seine Studiengewohnheiten bewogen ihn, eher zurückgezogen zu leben. Er glaubte, der Reformation mit seiner Feder am besten dienen zu können, und wünschte sich einen ruhigen Ort für seine Forschungstätigkeit, um von dort aus mit Druckerzeugnissen die Gemeinden zu unterweisen und aufzubauen. Aber Farels ernsthafte Ermahnung war für ihn ein Ruf vom Himmel, und er wagte keinen Widerspruch. Es schien ihm, wie er sagte, »als ob die Hand Gottes vom Himmel herab ausgereckt ihn ergriffen und unwiderruflich an den Ort gesetzt habe, den er so gern verlassen wollte« (DAGR, IX, 17).

Zu jener Zeit befand sich der Protestantismus in großer Gefahr. Bannflüche des Papstes donnerten gegen Genf, und mächtige Reiche drohten der Stadt mit der Vernichtung. Wie konnte diese kleine Stadt einer Priestermacht widerstehen, die Könige und Kaiser so oft unterworfen hatte? Wie sollte sie sich den Heeren der größten Eroberer der Welt widersetzen?

DER JESUITENORDEN UND DIE GEGENREFORMATION

In der ganzen Christenheit war der Protestantismus durch furchtbare Feinde bedroht. Nach dem ersten Triumph der Reformation sammelte Rom neue Kräfte in der Hoffnung, sie vollständig zu vernichten. In jener Zeit wurde der Jesuitenorden gegründet, der grausamste, skrupelloseste und mächtigste Verfechter des Papsttums. Seine Mitglieder mussten sich von irdischen Bindungen und menschlichen Interessen trennen, natürliche Neigungen abtöten und Vernunft und Gewissen zum Schweigen bringen. Sie kannten keine Regeln und keine Bindungen außer denen ihres Ordens* und auch keine andere Pflicht als die Erweiterung seiner Macht. Das Evangelium hatte die Anhänger Christi befähigt, Gefahren zu begegnen, Leid zu ertragen und in Kälte, Hunger, Mühsal und Armut nicht zu verzagen. Sie hielten das Banner der Wahrheit hoch, auch angesichts von Folterbank, Kerker und Scheiterhaufen.

Um dieser Macht zu begegnen, begeisterten die Jesuiten ihre Nachfolger mit einem fanatischen Eifer, der sie befähigte, ähnlichen Gefahren zu begegnen und der Macht der Wahrheit mit den Waffen der Täuschung entgegenzutreten. Kein Verbrechen war ihnen zu groß, keine Täuschung zu abscheulich, keine Verschleierung zu aufwendig, um sie auszuführen. Sie selbst waren durch Gelübde an Armut und Bescheidenheit gebunden. Ihre Aufgabe war es jedoch, sich für Reichtum und Macht einzusetzen, um diese zum Sturz des Protestantismus und zur Wiederherstellung der päpstlichen Herrschaft zu verwenden.

Wenn sie als Mitglieder des Ordens auftraten, trugen sie das Gewand der Heiligkeit, besuchten Gefängnisse und Krankenhäuser, halfen Armen und Kranken, gaben vor, der Welt abgesagt zu haben, und trugen den heiligen Namen Jesu, der überall Gutes tat. Doch unter diesem tadellosen Äußeren wurden oft die verbrecherischsten und tödlichsten Absichten verborgen. Gemäß dieser Richtlinie waren Lüge, Diebstahl, Meineid, Meuchelmord nicht nur verzeihbar, sondern empfehlenswert, wenn sie den Interessen der Kirche dienten. Unter verschiedensten Verkleidungen bahnten sich die Jesuiten ihren Weg in die Staatsämter, wurden Ratgeber der Könige und gestalteten die Regierungspolitik. Sie wurden Staatsdiener, um als Spione ihre Vorgesetzten zu überwachen. Sie bauten Schulen für Söhne von Fürsten und Adligen auf und solche für das normale Volk. Kinder von protestantischen Eltern wurden zur Einhaltung päpstlicher Riten angehalten. Der äußerliche Prunk der römischen Gottesdienste sollte die Schüler verblenden, den Verstand verwirren, die Einbildungskraft fesseln, und damit wurde die Freiheit, die von den Vätern erkämpft worden war, von den Söhnen verraten. Die Jesuiten verbreiteten sich schnell über ganz Europa, und wohin sie kamen, erfolgte eine Wiederbelebung des Papsttums.

Um ihnen größere Macht zu verleihen, wurde eine päpstliche Bulle erlassen, nach der die Inquisition wieder eingeführt werden sollte. Obwohl man dieses schreckliche Tribunal auch in katholischen Ländern verabscheute, wurde es durch päpstliche Herrscher wieder eingesetzt. Gräueltaten, zu schrecklich, um ans Tageslicht gebracht zu werden, wurden erneut in den verborgenen Kerkern begangen. Viele Länder verloren die Blüten ihrer Nation. Die aufrichtigsten, edelsten, intelligentesten und gebildetsten Menschen; gläubige und hingebungsvolle Pfarrer, fleißige und landestreue Bürger, hervorragende Gelehrte, talentierte Künstler und geschickte Kunsthandwerker wurden zu Tausenden und Abertausenden umgebracht oder gezwungen, in andere Länder zu fliehen.

Solche Mittel hatte Rom ersonnen, um das Licht der Reformation auszulöschen, um den Menschen die Bibel zu entziehen und Unwissenheit und mittelalterlichen Aberglauben wieder aufleben zu lassen. Doch durch den Segen Gottes und das gesegnete Werk der Nachfolger Luthers, die Gott erweckt hatte, wurde der Protestantismus nicht überwunden. Seine Stärke verdankte er nicht den Waffen der Fürsten. Die kleinsten Länder, die bescheidensten und schwächsten Nationen wurden seine Bollwerke. Das kleine Genf war umgeben von Feinden, welche die Stadt zu zerstören drohten. Die Niederlande kämpften an ihren sandigen Küsten gegen die Tyrannei Spaniens, damals das größte und wohlhabendste Königreich. Das kahle und unfruchtbare Schweden errang Siege für die Reformation.

GENF – BOLLWERK UND AUSGANGSPUNKT DER REFORMATION IN EUROPA

Nahezu 30 Jahre lang wirkte Calvin in Genf, zunächst um eine Kirche zu gründen, die sich an der Morallehre der Bibel orientierte und dann, um die Reformation in ganz Europa voranzutreiben. Seine öffentliche Amtsführung war zwar nicht fehlerfrei und seine Lehren waren nicht ohne Irrtum. Dennoch war er ein Instrument, um jene Wahrheiten, die für seine Zeit besonders wichtig waren, öffentlich bekanntzumachen. Calvin hielt der rasch wieder aufkommenden Welle des Papsttums die Grundsätze des Protestantismus entgegen und förderte in den reformierten Kirchen eine einfache und saubere Lebensführung. Sie verdrängte den Stolz und die Bestechlichkeit, die unter der Lehre Roms begünstigt worden waren.

Von Genf aus wurden Schriften verbreitet und Lehrer ausgesandt, die die Reformation in die Welt hinaustrugen. Dorthin schauten Verfolgte aller Länder, um Anleitung, Rat und Ermutigung zu erhalten. Die Stadt Calvins wurde zur Zufluchtsstätte für verfolgte Reformatoren ganz Westeuropas. Aus schrecklichen Stürmen, die noch Jahrhunderte andauern sollten, kamen Flüchtlinge zu den Toren Genfs. Sie waren ausgehungert, verwundet, aus ihren Heimen vertrieben, von ihren Familien getrennt und fanden hier herzliche Aufnahme und ein neues Zuhause. Ihre Geschicklichkeit, Gelehrsamkeit und Frömmigkeit wurden der Stadt zum Segen. Viele, die hier Obdach gefunden hatten, kehrten in ihre Heimat zurück, um der Tyrannei Roms Widerstand zu leisten. John Knox, der tapfere Reformator Schottlands, nicht wenige Puritaner Englands, Protestanten aus den Niederlanden und Spanien und Hugenotten aus Frankreich trugen die Fackel der Wahrheit von Genf aus in ihre Heimatländer, um Licht in die Finsternis zu bringen.

Verzeichnis der verwendeten Quellen und Bibelübersetzungen

BRAR J.-M.-G. de Bonnechose, Les réformateurs avant la réforme du XVIe siécle, Paris 1845
BRGE H. Bullinger, Reformationsgeschichte
CCL J. Cochlaeus, Commentaria de actis et scriptis Lutheri, Köln 1568
CGKB S. Czerwenka, Geschichte der evangelischen Kirche in Böhmen
CHB J.A. Comenius, Historia Persecutionis Ecclesiae Bohemicae
COL J. Calvin, opun. lat.
DAGR J.-H. Merle D'Aubigné, Geschichte der Reformation, Stuttgart 1854
DAGC J.-H. Merle d'Aubigné, Geschichte der Reformation zu den Zeiten Calvins
DML J. von Dorneth, Martin Luther
EMLB L. Enders, Dr. Martin Luthers Briefwechsel
EOE D. Erasmus, Opus epistolarum – Eine Sammlung der Briefe des Erasmus von Rotterdam
FAM J. Foxe, Acts and Monuments
FCHB T. Fuller, Church History of Britain
GCEH John C.L. Gieseler, A Compendium of Ecclesiastical History
GLTH M. Gillett, The Life and Times of John Huss
HGHB K. von Höfler, Die Geschichtsschreiber der hussitischen Bewegung
HHE J.H. Hottinger, Historia ecclesiastica
HHR K.R. Hagenbach, History of the Reformation
HK K.J. Hefele, Konziliengeschichte
HLSV K.R. Hagenbach, Leben und ausgewählte Schriften der Väter und Begründer der reformierten Kirchen
KML J. Köstlin, Martin Luther
KNRU F. Kapp, Nachlese reformatorischer Urkunden
LAW M. Luther, Ausgewählte Werke, München 1948
LEA Luthers Werke, Erlanger Ausgabe
LHA Luthers Werke, Hallenser Ausgabe
LHC J. Lenfant, Histore du concile de Constance
LHW J. Lewis, The History of the Life and Sufferings of the Reverend and Learnde John Wicliffe
LLA Luthers Werke, Leipziger Ausgabe
MLH J. Mathesius, Luther-Historien
MLL Ph. Melanchthon, Leben Luthers
MLTL W.C. Martyn, The Life and Times of Luther
MZ O. Myconius, Zwingli
NKG A.J.W. Neander, Kirchengeschichte
NGK W. Nigg, Geschichte der Ketzer
OAG W. Oncken, Allgemeine Geschichte
PGB F. Palacky, Geschichte Böhmens
PSA H. Prutz, Staatengeschichte des Abendlandes im Mittelalter
RDG L. von Ranke, Deutsche Geschichte im Zeitalter der Reformation
RWG L. von Ranke, Weltgeschichte
SAS C. Spangenberg, Adelsspiegel
SCK J.M. Schröckh, Christliche Kirchengeschichte
SCL V.L. von Seckendorff, Commentarius historicus et apologeticus de Lutheranismo
SCR J. Salat, Chronik der Reformationszeit
SHB Aeneas Sylvius, Historia Bohemiae
SSZ M. Schuler, J. Schulthess: Zwingli
SZLW R. Staehelin, Huldreich Zwingli, sein Leben und Wirken nach den Quellen
TH Z. Theobald, Hussitenkrieg
VHCC T. Vrie, Historia Concilii Constantiensis
VLW R. Vaughan, Life and Opinions of John de Wycliffe
WHKG L. Wirz, Helvetische Kirchengeschichte
WHP J.A. Wylie, History of Protestantism
WLS J.G. Walch, D. Martin Luthers sämtliche Schriften

In diesem Buch wird aus folgenden Bibelübersetzungen zitiert:

Bibeltexte ohne Quellenangabe
Die Bibel nach der Übersetzung Martin Luthers in der revidierten Fassung von 1984, durchgesehene Ausgabe in neuer Rechtschreibung, © 1999 Deutsche Bibelgesellschaft, Stuttgart.

Ansonsten bedeutet:
ZÜ Zürcher Bibel, Genossenschaft Verlag der Zürcher Bibel beim Theologischen Verlag Zürich, 2007.

KURZBESCHREIBUNG DER GEMÄLDE

von Mag. Kurt Piesslinger

Cover:
DIE GROSSEN FÜNF, Das Erbe der Reformation
Jan Hus in Böhmen, John Wycliff in England, Martin Luther in Deutschland, Johannes Calvin in der französischen und Huldrych Zwingli in der deutschsprachigen Schweiz. Das sind die großen Gestalten der Reformation. Ihr Einfluss ist bis heute spürbar. Sie haben Europa und die Welt durch ihre Hingabe an Christus geprägt.

Seite 4:
DIE URCHRISTEN, Der steinige Weg
Die Waldenser sind im Besitz der Heiligen Schrift und verbreiten wie die Urchristen das gesamte Mittelalter hindurch das wahre Evangelium in Europa. Grausam werden sie von der römisch-katholischen Kirche verfolgt. Trotz aller Vernichtungsfeldzüge gegen sie, verkünden sie die Botschaft vom sündenvergebenden Heiland, der am Kreuz für uns starb.

Seite 6:
DIE WENDE, Martin Luther – Aus Angst wird Freude
Der junge Martin Luther gerät auf freiem Feld in ein furchtbares Unwetter. Um sein Leben fürchtend, gelobt er, Mönch zu werden, falls er noch einmal verschont wird. Er erfüllt sein Versprechen und tritt in ein Kloster ein. Aus dem Rechtsgelehrten wird ein Bibelgelehrter, der die christliche Welt reformieren wird.

Seite 10:
DER MORGENSTERN, John Wycliff und die Reformation in England
Schadenfroh erscheinen einige Mönche, die den sterbenden Wycliff auffordern, seine kritischen Äußerungen über die Kirche zurückzunehmen. Dieser antwortet: „Ich werde nicht sterben, sondern leben und die Gräuel der Mönche erzählen!“ Entsetzt fliehen die Mönche von ihm. Tatsächlich erholt sich Wycliff unerwartet wieder und macht seine Ankündigung wahr.

Seite 30:
DER MÄRTYRER, Jan Hus und die Reformation in Böhmen
Am 6. Juli 1415 wird der Theologieprofessor Jan Hus aus Prag in Konstanz verbrannt. Er hat die Lehre von John Wycliff über das Ur-Evangelium verbreitet. Das Konzil kapituliert vor der Standhaftigkeit dieses Reformators, der nicht einmal den Flammentod scheut. Hus geht mit Zuversicht und im festen Glauben an die Auferstehung in den Tod.

Seite 56:
DIE THESEN, Martin Luther und der 31. Oktober 1517
Am 31. Oktober 1517 werden in der Universitätsstadt Wittenberg die 95 Thesen Martin Luthers angeschlagen. Schonungslos werden die Lügen der Kirche aufgedeckt: Ablassbriefe bringen kein Seelenheil, sondern nützen nur den Finanzen der etablierten Kirche. Das Lehrgebäude Roms erbebt.

Seite 84:
DER REICHSTAG, Martin Luther vor den Mächtigen
Am 18. April 1521 wird Martin Luther vor dem Kaiser und dem Adel der deutschen Nation aufgefordert, seine reformatorischen Ansichten zu widerrufen. Obwohl ihm der Tod droht, bleibt der Reformator standhaft. „Hier stehe ich. Ich kann nicht anders. Gott helfe mir. Amen!" Von dieser Stunde an verändert sich die religiöse Landschaft Europas grundlegend.

Seite 114:
DER KÄMPFER, Huldrych Zwingli und die Reformation in Zürich
Zwingli ist der Reformator der deutschsprachigen Schweiz. Seine aufrüttelnden Predigten überzeugen den Stadtrat von Zürich und führen zur systematischen Vernichtung der römisch-katholischen Statuen. Das Gesetz Gottes in Bezug auf das Bildergebot wird wiederhergestellt. „Du sollst dir kein Bildnis machen... Bete sie nicht an und diene ihnen nicht."

Seite 126:
DIE SCHLACHT, Zwinglis Tod
In der Schlacht bei Kappel südwestlich von Zürich treffen protestantische und römisch-katholische Anhänger in einer Schlacht aufeinander. Als Zwingli gerade mit einem Sterbenden betet, erschlägt ihn ein Gegner mit einem großen Stein. Bis zur letzten Minute ist Zwingli Seelsorger seiner Herde.

Seite 132:
DIE WARTBURG, Martin Luther und die deutsche Bibelübersetzung
Auf dem Reichstag zu Worms wird Martin Luther geächtet und für vogelfrei erklärt. Um dem Reformator das Überleben zu ermöglichen, lässt ihn Kurfürst Friedrich der Weise zum Schein überfallen und auf die Wartburg in Sicherheit bringen. Dort übersetzt Martin Luther das Neue Testament in die deutsche Sprache.

Seite 146:
DER PROTEST, Fürsten bahnen dem Protestantismus den Weg
Der Kaiser versucht die evangelisch gesinnten Fürsten des Heiligen Römischen Reiches deutscher Nation in die Knie zu zwingen und sie der römischen Kirche zu unterwerfen. Die glaubenstreuen Adeligen aber wagen unter Einsatz ihres Lebens dagegen zu protestieren und Widerstand zu leisten. Daher der Name „Protestanten".

Seite 162:
DER FLÜCHTLING, Johannes Calvin und die Reformation in Genf
Calvin ist noch Student, als man ihn, den überaus begabten Protestanten, in Paris dem Feuertod übergeben will. Im letzten Moment gelingt ihm die Flucht mittels Leintüchern über die Fassade des mehrstöckigen Wohnhauses. Ein Leben lang wird er von der römisch-katholischen Kirche gejagt, weil er furchtlos das Wort Gottes verkündigt.

Seite 186:
DIE VERWEIGERUNG, Calvin verwehrt das Abendmahl
In Genf formiert sich unter den Protestanten eine Gruppe vermögender Adeliger, die sich Libertiner nennen, ähnlich der Gruppierung der Sadduzäer zur Zeit Jesu. Sie praktizieren einen lockeren Lebensstil und nehmen es mit der Moral nicht so genau. Als sie von Calvin das Abendmahl begehren, verweigert er es ihnen unter Einsatz seines Lebens.

FERNKURSE

AD FONTES – DIE REFORMATOREN

10 Themen

Die Urchristen
Der Morgenstern
Der Märtyrer
Die Wende
Die Thesen
Der Reichstag
Die Wartburg
Der Kämpfer
Der Flüchtling
Die großen Fünf

Dieser 10-teilige Fernkurs ist dem Leben und Wirken der fünf bedeutenden Reformatoren gewidmet (Wycliff, Hus, Luther, Zwingli und Calvin).

Es erwartet Sie ein spannender Streifzug durch die Reformationsgeschichte. Dabei können Sie sowohl Ihr Wissen erweitern als auch Ihren persönlichen Glauben vertiefen!

HopeChannel
AM LEBEN INTERESSIERT
Auch al
iOS- un
Android
App
Der christliche Radio- und TV-Sender
WWW.HOPE-CHANNEL.DE